뇌심부자극술!

파킨슨병의 최신 수술적 치료

저자 박영석

군자출판사

뇌심부자극술!
파킨슨병의 최신 수술적 치료

저자 박영석

군자출판사

뇌심부자극술! 파킨슨병의 최신 수술적 치료

첫째판 인쇄 2014년 10월 15일
첫째판 발행 2014년 10월 22일

지 은 이 박영석
발 행 인 장주연
출 판 기 획 오제훈
편집디자인 천혜진
표지디자인 전선아
발 행 처 군자출판사
　　　　　등록 제 4-139호(1991. 6. 24)
　　　　　본사 (110-717) 서울특별시 종로구 창경궁로 117(인의동) 동원빌딩 6층
　　　　　전화 (02) 762-9194/5　　　　팩스 (02) 764-0209
　　　　　홈페이지 | www.koonja.co.kr

ISBN 978-89-6278-917-1
정가 10,000원

Prologue

뇌안의 깊은 구조물에서 생성되는 신경호르몬인 도파민 분비 이상으로 전기생리학적 신호의 이상이 초래되면 이상운동이 생긴다. 그 근본적인 원인이 되는 신경호르몬 분비 이상 혹은 전기생리학적 이상이 어떻게 초래되는가는 유전적 원인, 세포 이상의 원인, 이상 단백질, 세포 독성 등 너무 많은 원인이 있어 일부 경우 외에는 특정 원인을 발견하기가 어렵다.

물론 파킨슨병 등 일부 질환에 1960년대부터 도파민 등 약물치료가 보급되었지만, 이 약물치료 역시 효과가 제한적이고 약물의 부작용 등이 있을 뿐더러 다른 운동 질환에는 쓸 수 있는 약제 등이 여전히 제한적인 것이 사실이다.

결과론적으로, 초래된 전기생리학적 변화를 바로잡기 위해 현대의 발전된 과학기술로 뇌심부자극술이 성공하였고, 많은 환자분들이 혜택을 보고되었다. 파킨슨병 및 이상운동질환에 대해서 이런 드라마틱한 치료 결과를 거두기 시작한 것은 불과 10-20년 사이이다.

뇌심부자극술은 많은 파킨슨병 환자분들에게 많은 희망을 가져다 주었으나 일부 제한점은 있다. 하지만 전기생리학적 기술을 이용한 치료기술 개발의 미래는 밝다고 할 수 있겠다.

이 책은 파킨슨병 및 이상운동질환과 관계된 환자, 일반인, 의료인에게 기본적인 안내서로 쓰일 수 있을 뿐 아니라, 이러한 의료기구 및 의료기술을 개발하는 분들에게 도움이 되고자 수년간의 임상 및 연구 경험을 바탕으로 하였다.

Contents

파킨슨병이란?

파킨슨병이란?

　파킨슨병은 뇌안의 신경전달물질 중 하나인 도파민이라는 물질이 부족으로 생기는데 운동기능장애로 몸이 떨리고 뻣뻣해지며 동작이 줄어들거나 느려지는 현상이 나타나는 등 주로 운동기능에 이상이 생기는 이상운동질환 중 하나이다.

　신경전달물질로서의 도파민의 기능은 1958년 스웨덴의 Arvid Carlsson과 Nils-Ake hillarp이 발견하였다. 도파민은 동물 뇌안의 흑질선조체, 변연계, 융기하수체 등 도파민작동성 뉴런에서 발생되는 신경전달물질로서, 뇌의 많은 기능을 포함하는 중요한 행동과 역할에 영향을 준다. 특히 운동 조절이나 호르몬 조절, 감정, 동기 부여, 의욕, 수면, 인식, 학습 등에 영향을 미친다.

　도파민은 흑질에서 수많은 경로로 뇌의 여러부위로 퍼지며 각종 정보를 전달한다. ①운동조절과 관련된 선조체 부위로 퍼져 미세한 운동을 조절하고, ②시상하부로 가서 호르몬에 영향을 미치며, ③뇌의 변연계로 퍼져 분노, 공포, 학습등과 관계되어 정서 및 기억장애와 관련되고, ④대뇌피질로 분비되어 뇌전반에 영향을 미친다. 뇌피질에 영향을 미쳐 환각 등 정신과적 문제가 생기는 이유이다.

　파킨슨 관련 질환은 그 원인에 따라 특발성 파킨슨병, 2차성 파킨슨증, 그리고 파킨슨 증후군으로 나뉘어진다. 특발성 파킨슨은 달리 2차적인 이유가 밝혀지지 않은 파킨슨질환을 말한다.

　2차성 파킨슨증은 약물, 뇌졸중(중풍), 뇌수두증에 의해서 파킨슨병과 매우 유사한 증상을 보이는 경우를 말한다. 또한, 파킨슨 증후군이라고 하면, 파킨슨병

증상이 있고, 또한 다른 신경계 이상 증상이 나타나는 증상을 말한다. 자율신경계 증상, 눈동자 움직임에 마비가 발생하거나, 평형장애가 심하여 잦은 낙상이나 어지럼증이 동반되고 성격 변화 혹은 심한 치매 증상이 동반되는 특성을 보인다. 고령화시대에 행동이 느리거나 손 발이 떨리는 경우에도 파킨슨병을 의심해 보아야 하고, 근육 혹은 관절질환이 없는데도 느리고 경직되는 행동, 관절 경직이 나타날 경우 파킨슨병을 의심해 볼 수 있다.

파킨슨 증후군도 비슷한 증세를 나타낸다. 파킨슨 증후군에는 다계통위축, 진행성핵상마비, 피질기저핵변성 등 이름만으로도 생소한 병명을 가진 여러 가지 병들이 있다. 파킨슨 병과 감별점으로는, 파킨슨 유사 증후군 환자는 병의 악화가 빠르고, 도파민 약물에 반응이 없거나 일시적으로 좋지 않은 반응을 보인다. 하지만 처음에는 잘 모를 때도 있어서 2-3년간 증상의 진행 경과를 보고 감별할 수 있다.

파킨슨병의 진단 시에는 우선 환자가 이야기하는 증상을 토대로 전문의가 병세를 판단하며, 파킨슨병 전문의의 신경학적 검사도 중요하다. 파킨슨병이 초기에는 뇌졸중, 척추질환, 중풍, 우울증, 수면장애 등으로 오인되는 경우가 있는데, 필자도 외래에서 행동이 느리고 등근육이 뻣뻣하여 척추질환으로 오인되었다가 뒤늦게 파킨슨병으로 진단되는 환자분을 많이 보곤 한다.

파킨슨병은 진전, 서동, 경직, 자세 불안정이나 보행 장애 등이 중요한 증상이며, 도파민 등 파킨슨 약물 반응 및 임상 경과도 유사 파킨슨병과의 감별에 중요하다. 또한 MRI(자기공명영상), PET(양전자촬영)등 영상학적 검사를 통해 2차성 파킨슨 및 다른 뇌신경질환과의 감별에 도움을 받기도 한다.

내과질환이나 다른 질환으로 인해 오랜 기간동안 약물을 복용했을 때도 종종 파킨슨 증상을 일으킬 수 있다. 이들은 도파민 기능을 억제할 수 있는 약물들로 약물유발성 파킨슨증을 일으킨다. 정신과 약물 중에 정신심리 증상을 조절하기 위해 사용하는 항정신성 약물들과 위장관운동에 관여하는 약물 등도 파킨슨 증상을 일으키는 경우가 자주 관찰된다. 그렇기 때문에 파킨슨 증상이 발생하여 병원에 갈 때는 현재 복용 중인 약물들을 잘 숙지하고 가능하면 그 처방전을 꼭 가지고 가는 것이 도움이 된다. 또한 최근에는 항경련제를 오래 복용할시에도 파킨슨 증상이 나타나기도한다. 고령화 시대를 맞이하여 특별히 노인연령 환자에게 다량의 약물이 오랜 기간동안 반복해서 처방되지 않기 위해서는 환자가 처방전을 간직하고 의료진을 방문하는 것을 권한다. 노령환자들은 자신이 처방받는 약물을 잘 모르거나 자주 잊어버릴 수 있기 때문에 처방전 자체를 휴대하거나 스마트폰 등으로 복사하여 가지고 다니는 것이 좋다.

파킨슨병의 감별질환

파킨슨 증후군 등은 파킨슨병과 감별이 필요하고 뇌종양, 뇌염, 뇌혈관질환 및 기타 뇌질환 등도 파킨슨병과 비슷한 증세를 나타낼 수 있으므로 감별을 위해서도 뇌영상학적 검사는 필수적이라 하겠다. 파킨슨 환자분들에게는 뇌자기공명영상이 건강보험 혜택도 주어지니 꼭 확인하여 다른 질환과 감별을 해두는 것이 좋다. 수전증도 초기에는 파킨슨병과 증상이 많이 비슷해서 감별이 힘들 수 있는데, 보고에 따르면 수전증 환자의 약 10%정도가 초기에 파킨슨병과 감별이 힘들거나 나중에 파킨슨병으로 진단된다고 한다.

파킨슨 병의 발병여령

평균 발병연령은 60세 전후로 주로 노인에 발생하며, 60세 이상에서는 1%정도가 파킨슨병을 앓는다고 알려져 있다. 노령화 사회인 대한민국에는 파킨슨병 환자가 꾸준히 증가하고 있다. 남녀비율은 3:2로 남자가 조금 높다. 국내에서는 6만~10만명, 미국에서는 약 150만명, 세계적으로는 1000만명 정도가 파킨슨병을 앓는다. 역학조사에 의하면 2030년에는 중국에만 500만명 정도의 파킨슨병 환자가 예상된다고 한다.

파킨슨병의 발병원인

파킨슨병은 한두가지의 원인이 아니고 여러요인들이 작용하여 도파민을 분비하는 뇌세포의 유전자를 파괴함으로써 비정상 단백질 등이 뇌세포내에 쌓여 발병하는 것으로, 발생 원인에 대해서 많은 연구가 되었고, 일부 원인을 찾았으나 대부분의 경우 정확한 원인을 알지 못하고 있다. 이 중 유전자의 이상으로 파킨슨병이 발생하는 경우를 가족형 파킨슨병이라고 하며, 특히 40세 이전 젊은 나이에 파킨슨병이 발생한 경우 유전적 원인을 의심해 볼 수 있다. 그렇지만 유전적 파킨슨은 매우 드물며, 특히 가장 흔한 형태인 노년기에 발생한 파킨슨병은 비유전적인 경우가 더 많다. 파킨슨병의 위험요인으로는 유전적 요인 외에 중금속 독소 망간, 일산화탄소, 살충제, 농약 파라쿼트 등에 의한 것이 있고, 이외에 메타놀, 사이아나이드 외 감염성 질환, 외상 및 약 등도 파킨슨 증후군 증상을 유발할 수 있다.

파킨슨병의 증상

초기증상으로 이전에 비해 동작이 느리고, 본인도 모르게 손을 떨거나, 걸음을 걸을 때 다리를 끌거나 경직되게 걷는 등의 이상을 보이는 경우에 파킨슨병을 의심해 볼 수 있다.

파킨슨병의 3대 증상 – 진전, 경직, 서동증

- 진전(떨림) : 주로 손등에 일부러 조절하지 않는 떨림을 말하는데, 주로 몸의 중심보다 먼 사지쪽부터 시작되며 가만히 쉴 때 율동적으로 떨리는 것이 특징이다.
- 경직 : 온몸이 뻣뻣하게 굳어지게 느껴지는 것으로, 환자에게 운동을 시켰을 때 경직상태가 일정간격으로 나타나서 관절에서 톱니바퀴나 태엽이 돌아가는 것처럼 기계적으로 움직이는 것을 톱니바퀴경직(Cogwheel rigidity)이라 말한다. 안면근육도 경직되면 얼굴표정도 굳게 보이게 된다.
- 서동증 : 운동이 느려져 보행을 할 때 출발이나 이동을 하는데 어려움이 있다. 처음에는 보폭이 짧고 느린 걸음을 보이다가 걷는 중에는 몸의 중심이 앞으로 쏠리게 되면서 가다가 갑자기 정지하기 힘들기 때문에 파킨슨 환자는 자주 넘어지게 된다. 파킨슨 환자들은 넘어짐 때문에 두부 외상 및 근골격계 외상 등으로 병원에 많이 방문하게 된다. 자전거, 운동능력을 벗어나는 조깅 등으로 넘어져서 외상으로 응급실을 방문하거나 수술 받는 환자들이 많기 때문에 본인에게 맞는 생활운동 등을 하도록 반복해서 교육을 할 필요가 있다.

동결(Freezing)은 걸음걸이가 갑자기 멈춰서 움직임을 시작하는데 어렵고, 방

파킨슨 3대 증상

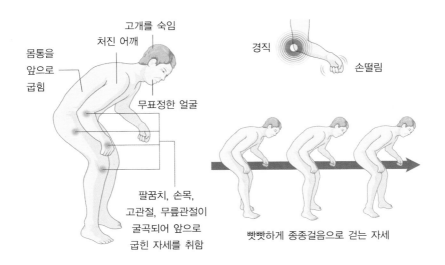

몸통을 앞으로 굽힘

고개를 숙임

처진 어깨

경직

손떨림

무표정한 얼굴

팔꿈치, 손목, 고관절, 무릎관절이 굴곡되어 앞으로 굽힌 자세를 취함

빳빳하게 종종걸음으로 걷는 자세

향전환이 어려워 운동을 멈추게 된다.

그러나, 파킨슨병에는 이러한 운동증상 외에 비운동증상들도 많이 있다. 냄새를 잘 못 맡는 후각 이상이 운동증상보다 먼저 오기도 하고, 잠을 충분히 못 자고 설치거나 잠꼬대를 하며 낮에 졸립고 심하면 잘 때 손발을 심하게 움직이는 램수면 이상행동증, 변비나 배뇨장애와 같은 장애, 자율신경계 이상으로 인한 기립성 어지럼증, 성기능장애, 전신의 통증, 우울증 등이 생길 수 있다. 이러한 비운동증상들은 의료진이나 주변 가족들에게 간혹 덜 힘든 증상으로 생각될 수 있으나, 파킨슨병 환자 입장에서는 매일마다 고통을 겪는 증상들이다.

외래에서 환자들의 고통은 몸이 말을 잘 듣지 않는 불편함도 있지만, 소화기장애 변비, 우울하고 피곤하며, 의욕이 없는 마음의 고통도 환자분들이 호소하는 주된 증상이다.

파킨슨병이 진행되는 과정은

- 1단계: 증상이 어느 한쪽에서만 나타나는 경우
- 2단계: 증상이 양쪽에 나타나지만 균형을 잡을 수 있는 경우
- 3단계: 균형 유지가 어려워지며 보행에 장애가 나타나는 단계
- 4단계: 3단계증상이 심하지만 어느 정도 독립적 움직임이나 활동이 가능한 경우
- 5단계: 독립적 움직임이 불가능하여 휠체어나 침대에 의존하는 경우

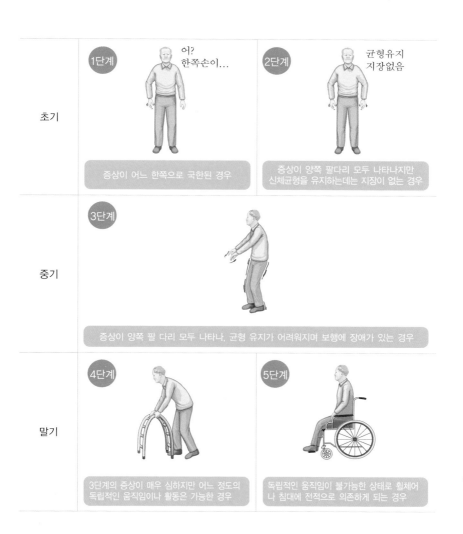

자기공명영상(MRI) 검사로 파킨슨병을 진단할 수는 없으나 뇌종양, 뇌수두증, 뇌졸중 등에 의한 2차성 파킨슨증에 대한 감별을 위하여 검사를 시행하는 것을 권한다. 파킨슨복합체 증후군의 경우에는 영상학적으로 감별할 수 있는 경우도 있기 때문에 파킨슨병으로 의심되는 환자는 반드시 해보아야 한다. 또한 최근 개발이 가속화되고 있는 고자장 자기공명영상(7T 이상)에서는 기존에 보이지 않는 흑질의 변성을 먼저 확인할 수 있다하니 조만간 뇌졸중 검사시 자기공명영상을 이용한 뇌혈관 촬영처럼, 자기공명영상으로 파킨슨이 진단될 날도 아주 멀지는 않았다.

또한 중요한 검사로, 양전자검사는 도파민 신경세포의 이상 여부를 확인할 수 있는 검사를 시행하여 조기 진단 및 감별에 도움을 받을 수 있다. 단순떨림이나 약물 등에 의해 일시적으로 증상을 보이는 경우에는 정상 소견이 관찰되고 파킨슨병이나 파킨슨 증후군의 경우 도파민 신경세포가 손상된 것이 관찰되는데, 이를 이용하여 빠르고 정확한 진단을 내릴 수 있다. 양전자검사는 자기공명 영상보다 해상도가 떨어지나 그 기능을 검사할 수 있다는 점에서 장점이 있다. 최근에는 3차원적 컴퓨터 소프트웨어와 표준화이미지를 사용하여 기존 방식의 한계를 넘어 새로운 수준의 진단도 가능하며, 자기공명영상 및 양전자를 융합하여 사용하기도 한다.

아래 파킨슨병 환자의 양전자 촬영을 보면(FP-CIT PET) 확연히 그 차이를 알 수 있다.

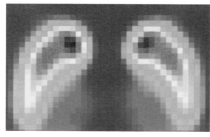 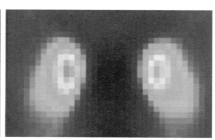

정상 환자   파킨슨 환자

파킨슨병과 우울증

파킨슨병의 약 20-70%, 평균 40% 정도가 우울감을 이야기하고, 많은수의 파킨슨병 환자들이 우울증을 호소한다. 이는 도파민 등의 약물로 호전되지 않을 수 있어 항우울증 약물치료가 필요하고, 가족 및 주변 사람들의 지지 및 정신과적 치료가 병행되기도 한다. 운동기능이 유지되고, 사회적 활동이 가능한 한에서 최대한 사회생활을 유지 할 수 있고, 운동기능을 보존할 수 있어야, 우울감도 낮아지고, 생활도 활력을 되찾을 수 있을것이다.

파킨슨병과 치매

파킨슨병의 치매는 알츠하이머성 치매와 조금은 다르다. 알츠하이머 치매가 기억저장장소이상으로 생긴다면, 파킨슨병의 치매는 기억된일을 회상하거나 꺼내고 일을 구체적으로 정리하는등의 사고의 이상과 행동의 이상을 초래됨이 다르다.

시간이 많이 지나서 치매가 진행된 경우에는 그차이를 알기 어려울때도 있어 환자분 마다 자세한 병력을 들어서 도움을 얻는 겨우가 많다.

파킨슨병과 수면장애

필자의 중 고교 선생님중 한 분이 파킨슨병이었는데, 의학에 대해서 잘모르는 필자도 선생님의 행동이상을 충분히 감지할 수 있었고, 그 당시 수업중 잠시 시간이 끊어 질때면 선생님이 잠을 이기지 못하는 모습을 보았고 지금 생각하니 아주 안타까운 장면처럼 떠 오른다.

밤에 잠을 깊이 자지 못하여 낮에 졸거나 피곤해한다. 낮에 졸린 것은 밤에 충분히 깊은 잠을 자지 못하기 때문이다. 파킨슨병 또는 약물로 인해 잠을 설치거나 꿈을 꾸게 할 수도 있다. 수면위생을 좀 더 철저히 하고, 낮에 적절한 운동과 밤에 카페인등의 복용을 피하는것도 도움이 될 수 있다.

파킨슨병과 성기능장애

파킨슨병으로 인한 성기능 하락과 파킨슨병 약으로 인한 성기능 항진도 보고된다. 우울감, 피로, 리비도 감소나 도파민 부족으로 인한 성욕의 저하가 나타날 수 있다. 파킨슨약, 항우울제, 항콜린성 약물, 수면제 등 각종 약물도 성욕 감소의 원인이 될 수 있다. 실제로 성적욕구가 떨어진것도 원인이지만, 관절등이 굳어 운동기능이 떨어져 실제 성생활에 대한 제약이다.

또한 지나친 성욕의 증가 등이 있을 수 있다. 이는 도파민계 약물의 과다 복용 및 합병증 등에 의해 나타날 수 있다. 필자도 종종 고령의 파킨슨병 환자의 부인분으로부터 파킨슨병 남편의 약물복용후 성욕의 증가로 인한 어려움등을 관찰하기도 한다.

파킨슨병과 배뇨장애

파킨슨병 환자는 방광기능 이상으로 인해 배뇨시 쉬원하지 않고 잔뇨감을 느끼거나 잦은 방광수축으로 인해 배뇨장애가 생길 수 있다. 노령의 경우 남자 환자는 전립선 장애, 여자 환자는 요실금 등 원인이 다양하다. 배뇨시간이 느려지거나 잔뇨감이 있고 요긴박증, 빈뇨, 절박증 등이 빈번한 경우 수면이나 일상생활에 불편을 초래하기 때문에 파킨슨 전문의 및 비뇨기 전문의 등과 함께 치료하는 것이 좋다.

파킨슨병의 약물치료

파킨슨병의 약물치료

　파킨슨병은 중뇌의 흑색질에서 도파민 분비가 떨어지는 것인데, 뇌에는 혈액 뇌장벽이 있어 도파민이 이를 직접 통과하지 못하기 때문에 그 전구체인 레보도파를 투여하고 뇌에서 도파민으로 변하도록 하여 효과를 낼 수 있다.

　파킨슨 약물은 정기적으로 정해진 용량을 꾸준히 복용하는 것이 가장 중요하다. 레보도파는 시간이 지남에 따라 그 약효가 감소하는데, 4~6 시간이 못되어 약효가 떨어지게 된다. 파킨슨병의 약물 치료는 운동기능을 개선하여 일상 생활을 편하게 해주는 것을 목적으로 한다. 환자마다 약물학적 특징 혹은 증세가 다를 수 있기 때문에 증세와 환자의 신체적 특성에 따라 개인별로 맞춤 치료를 해야 하는데, 환자의 약물 대사량이 일정 수준에 못미치거나 혹은 더 활발한지, 다른 신체적 질환이 있거나 약물 부작용이 있는지에 따라 신중히 약물 선택을 하여야 한다. 파킨슨 약물은 환자마다 증상 및 약물 반응, 약물 합병증, 기왕력 등에 따라 달리 처방받는 약이므로 약물 효과 및 불편한 점을 주치의와 잘 상의하여 용량을 조절해야 한다.

　또한 약물 반응은 레보도파를 5년 정도 사용하면 50%, 10년간 사용하면 80% 이상에서 운동 동요가 있을 수 있으므로, 최선의 약물 조절에도 불구하고 운동 합병증 또는 약물 합병증이 심하다고 판단되는 경우 수술적 치료도 좋은 대안이 될 수 있다.

수술적 치료는 운동기능 개선, 약물 감소 등을 가져올 수 있으며 삶의 질을 크게 개선할 수 있다. 또한 수술로 인한 합병증이나 수술위험도도 예전보다 많이 낮기 때문에 약물반응이 없거나 문제가 있는 경우 지나치게 약물로 치료를 지속하는 것은 재고해보아야 한다. 약물복용을 자의로 중단한다든지, 자각증세 등을 고려하여 자신이 약물을 추가로 복용하거나 조절하였다가 더 힘들게 되는 경우도 많기 때문에 약물을 제때 규칙적으로 복용하는 것은 대단히 중요하다. 파킨슨병의 약물치료는 기본적으로 도파민 부족을 보충해서 운동증상을 호전시키고자 하는 것이나, 파킨슨병이 진행되면서 발생하는 신경손상을 최소로 하며 운동증상 외 질환 등을 개선하기 위한 약물치료도 함께 필요하다. 초기 파킨슨 시 약물치료부터 병이 진행되는 상태에 따라 필요 약물을 환자의 삶의 질을 호전시킬 의도로 처방할 수 있고, 파킨슨병 환자는 병상 일기 등을 기록하여 자신의 약물복용 시 효과나 불편한 점을 의료진과 상세히 상담하여야 좋은 결과를 얻을 수 있다.

환자의 입장에서 볼 때, 어떤 환자는 10년을 복용하여도 이상이 없는데 자신만 약물 반응이 부족하거나 약물 합병증이 있다는 식의 생각을 가질 수 있다. 그러나 모든 환자의 상황이 똑같지 않으므로 자신의 병세와 다른 사람의 병세가 다르다는 점을 인지하고, 약물처방을 비교하여 임의로 조절하거나 중단하는 일이 없어야 하며, 전문 의료진의 의견을 존중하여 치료를 받아야 한다.

파킨슨 약물에는 운동증상을 개선하는 것과 파킨슨병에 동반되어 나타나는 비운동증상을 개선하는 것 등이 있다.

파킨슨 약물 종류

이상운동 개선제	레보도파제제	마도파, 시네메트, 퍼킨, 스타레보	각각서방제형 있음 패취도 나와있음
	도파민효능제	리큅, 팔로델, 브로미딘, 씨랜스, 미라팩스	
	콤트효소억제	콤탄	
	항콜린제제	알탄, 비페린, 트리헥신	
	기타	피케이멜쯔, 마오비, 주맥스, 퍼킨트렐	
비운동증상 개선	치매약	도네페질(아리셉트), 리바스티그민(엑셀론) 갈란타민(레미닐), 에빅사	
	변비약	마그네슘제제 및 각종변비약 및 생약성분제제	
	위장관기능개선	돔페리돈	
	항우울증	삼환계 우울제, 세로토닌 재흡수 억제제	
	기립성 저혈압	염분섭취, 플루로하이드로 코르티존 노테라	
	수면제	스틸녹스, 졸피뎀, 트라조돈, 아티반, 리보트릴, 세로퀼등	
	소변기능개선	하루날, 비유피	
	성기능개선	비아그라, 자이데나,	

1) 도파민 전구체

(1) 씨네메트: carbidopa 50 + levodopa 200

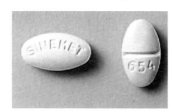

(2) 시네메트 CR: 시네메트 서방정

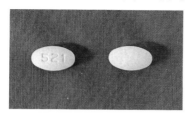

(3) 마도파

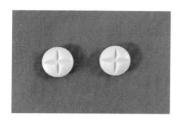

(4) 마도파 HBS캅셀: 위장관내에서 수시간동안 머물면서 서서히 발출되는 서방정

(5) 마도파 확산정

(6) 퍼 킨 (Carbidopa 27mg + Levodopa 250mg): 퍼킨정은 Levodopa + Car-bidopa 복합제 제로 중추신경계에 levodopa를 가 장 효과적으로 공급하여 dopamine 의 고갈을 해소함으로써 파킨슨증

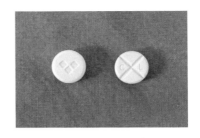

후군(증상)을 치료하는 제제이다. 기존의 levodopa 단일제와는 달리 lev-odopa의 투여량을 감량할 수 있으며, 소화기계 및 순환기계 부작용이 덜 합니다.

(7) 스타레보: 스타레보는 파킨슨병 치료에 가장 널리 처방되는 레보도파와 두 종류의 효소억제 약물인 카비도파, 엔타카폰의 복합제제로 알약 하나에 3 가지 약물이 들어 있어 복용법이 간편한 것이 특징이다.

2) 도파민 효능제.

리큅: 레보도파에 비해 긴 작용시간을 가져 도파민 수용체에 일정한 자극을 주는 제재로, 특히 운동완서와 보행장 애에 효과적이다. 오심, 기립성 저혈 압, 졸림 등의 부작용이 있을 수 있다.

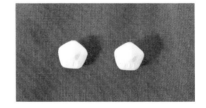

3) 콤탄

(1) 콤탄 COMT(Catecho-O-Methyl Tra-nsferase): 효소 억제제이다. 레보 도파는 혈중에서 COMT효소에 의해 다른 물질로 변화하는 대사 경로를 가

진다. 콤탄은 이 COMT 효소를 억제함으로써 더욱 많은 양의 레보도파가 혈중에서 대사되기 전에 뇌로 이동하여 파킨슨병 증상 치료에 사용될 수 있도록 도와주는 작용을 한다. 콤탄은 레보도파의 보조치료

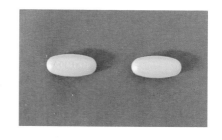

제로 사용되어 레보도파의 혈중농도를 완만하게 유지하고 작용시간을 연장시켜줌으로써 다음과 같은 효과를 가져온다.

① 레보도파의 1일 복용량을 감소시킨다 (임상시험결과 1일 50-100mg 감소)
② 레보도파의 1일 복용횟수를 감소시킨다.
③ 레보도파의 작용시간을 연장시킨다.
④ 'On time' (약물이 효과를 나타내는 시간)을 1일 평균 90분 정도 증가시킨다.
⑤ 환자의 일상생활 수행능력(말하기, 쓰기, 옷입기, 걷기 등)을 향상시킨다.
⑥ 이상의 효과로 환자들이 직업생활을 할 수 있게 도움으로써 환자의 삶의 질을 향상시킨다.

(2) 타스마(TASMAR) : 콤탄(성분명: 엔타카폰)과 같은 COMT 억제제이다. 이 약물은 현재 유럽에서 사용되고 있고, 미국에서도 FDA공인을 받아 제한적으로 사용되고 있다. 뇌 밖에 있는 COMT만을 억제하는 콤탄과는 달리 타스마는 뇌 안에 있는 COMT까지 억

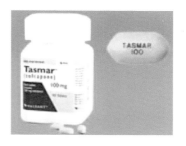

제하는 좀 더 강력한 약효를 가지고 있으나, 간 독성이 있어 그 사용에 제한이 있다.

4) 항콜린제제

- 벤즈트로핀: 주로 부교감 전달물질인 아세틸 콜린의 작용을 방해하는 약으로 항콜린 및 항히스타민작용을 동시에 발현하여 대뇌에서 아세틸콜린의 활성을 억제함으로써 아세틸콜린과도파민의 농도 균형을 회복시켜
파킨슨증상을 치료한다. 뿐만 아니라 항정신병약 투여로 인한 파킨슨증에도 효과적인 제제이다. 그러나 소화운동이 감소하고 침이 마르거나 심장이 빨리 뛸 수도 있으므로 전문의의 상담 처방이 필요하다.

5) 기타 약물

(1) 미라펙스정(Mirapex): 특발성 파킨슨증과 초기 파킨슨병 환자의 치료에 단독요법으로 쓰이거나, 진행된 파킨슨병 환자의 치료에 레보도파와 병용하여 쓰인다. 투여용량은 1일 0.375mg부터 최대 4.5mg까지로 한다. 주요 임상시험 결과, 초기 및 진행된 파킨슨병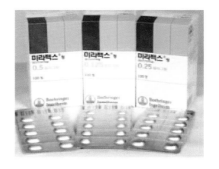
모두에서 용량 증량 시 1일 용량 1.5mg에서부터 유효성이 관찰되었다. 환자에 따라서는 1.5mg보다 고용량에서 추가적인 치료효과를 보일 수 있다. 이 요법은 특히 진행된 파킨슨병 환자가 레보도파 용량을 감량할 계획이 있는 경우에 적용된다. 이 약을 레보도파와 병용하는 환자는 프라미펙솔의 용량 증가 및 유지요법 중에 레보도파의 감량을 고려해야 하는데, 이는 과도한 도파민성 자극을 피하기 위해 필요하다.

(2) 피케이메르즈(PK-MERZ): 황산 아만타딘으로 도파민 합성을 촉진하며, 도파민 유리를 증가시키고, 시냅스에서 도파민 재흡수를 억제하여 도파민 작용

을 오래 유지시키는 약물이다. 불면증, 하지부종, 구강건조증이 있을 수 있다.

(3) 마오비정: 염산 셀레갈린으로서 일 5~10mg (1~2)정으로 분복하며, 초기 파킨슨병의 단독요법이나 레보도파 병용 시 레보도파 효과를 증가시키나 일일 투여량을 초과하여 사용해서는 안된다. 가벼운 기립성 저혈압, 오심,

불면증이 있을 수 있어 점심시간 이후에는 투여하지 않는 것이 좋다. 또한 급격한 감량 시에는 고열, 의식장애, 불수의 운동 등이 있을 수 있어 서서히 감량해야 한다.

(3) 비타민E와 코엔자임Q: 신경보호 효과가 있어 파킨슨병의 진행을 억제할 목적으로 사용된다. 여러 종류의 비타민E, 코엔자임이 함유되어 있으며, 규칙적으로 복용하되 과량 복용되지 않도록 한다.

(4) 모티리움: 위장관 기능을 활발히 하여 소화장애, 변비 등을 개선키 위한 약제이다. 레보도파의 부작용인 오심 및 구토를 방지한다.

약물 부작용

파킨슨을 치료하는 과정 중에 허니문시기라는 것이 있는데, 처음에는 약물반응이 좋다가 약물 반응이 적어지거나 약물 부작용이 오게 되는 경우, 처음 약물 반응이 좋은 시기를 말한다. 보통 초기 2-3년 동안은 부작용 없이 증상개선 효

과가 뛰어나기 때문에 이 시기를 뜻한다. 초기 허니문시기처럼 약을 복용한 다음에 증상이 호전되고 그 효과가 일정하게 유지되는 경우에는 실제로 하루에 3번 투약 중인 약물을 2번 복용하거나 혹은 하루 정도 약을 먹지 않아도 증상이 악화되지 않는다. 그 이유는 뇌 안에 도파민을 담아 두는 창고가 있는데, 이전에 먹었던 약성분이 이 창고에 저장되어 있어서 당장 약을 먹지 않더라도 저장된 도파민을 사용할 수 있기 때문이다. 그런데 파킨슨병이 진행되면 이런 저장 능력이 떨어져서 약 먹는 시간이 늦어지면 떨림, 느려짐, 뻣뻣함과 같은 증상이 심하게 나타나게 되고, 이렇게 약물 지속 시간이 짧아지면서 더 자주 약을 복용하게 된다. 레보도파라는 파킨슨병의 대표적인 치료 약물을 복용하면 짧게는 1년 반부터 증상이 시작되고 5년 정도 경과 시 약 50%, 9년 정도 경과 시 약 90%에서 이와 같은 증상이 나타난다. 물론 약물 복용 시기를 늦추면 발생 시기가 늦어지겠지만, 약물 치료로 좋아질 수 있는 증상을 치료하지 않으면 환자들은 매우 불편함을 겪고 정상적인 사회 생활에 어려움이 생긴다. 그래서 과다한 약물이 들어가지 않게 용량을 조절하고, 작용 방식이 다른 여러 종류의 약물을 함께 투여하는 복합요법으로 그 단점을 극복한다(필자는 이렇게 여러 재료를 조금씩 섞어서 만드는 방식을 비빔밥 치료라고 설명한다).

운동성 동요는 도파민 농도가 높아지거나 낮아질 때 파킨슨 증상의 호전 및 악화 정도가 반복되는 증상을 말하고, 이상운동증은 주로 레보도파 약물 농도가 높아지거나 낮아질 때 손발과 머리 등 신체부위가 꼬이는 증상을 말한다.

도파민제제에 합병증이 발생하면 약물 복용시간을 조절하거나 이상운동과 관련된 보조약물을 투여하고, 약물부작용이 심한 경우 뇌심부자극술 등 수술적 치료 방법을 사용할 수 있다.

파킨슨병은 뇌에 발생한 당뇨와 같은 병이라고 설명할 수 있다. 평생동안 관리해 나가면서 적절한 약물 치료 등 환자 개개인에 대한 맞춤 치료가 필요한 질환이다. 약물을 복용하면 환자가 확연하게 증상의 호전을 느낄 수 있고, 또 이러한 결과가 관찰되기도 한다.

대체의학 약물(한약, 생약, 기타건강보조식품)

파킨슨 약물 치료는 도파민 기능을 보존하고, 신경보호 작용을 통해 파킨슨병의 진행을 막고, 물리치료 및 행동치료 등으로 기능을 보존하는데 목적이 있다. 하지만 국내 환자들의 경우 종종 의존하는 한약, 생약, 침술 및 건강보조식품 등에 관하여 묻는 경우가 많다.

과학적으로 효과가 입증되지 않은 치료에 맹신적으로 필요 이상의 돈을 지출하는 경우를 진료실에서 흔히 볼 수 있다. 대체의료를 처방받기 전에는 먼저 파킨슨병 전문의와 상의하길 권유한다. 특정 약물이나 식품 등은 파킨슨병 약물에 교차반응이 있거나 약물 대사에 이상을 일으키고, 간독성을 일으키기도 하니 주의를 요한다.

새로운 약물시험

새로운 약물 시도는 1950-60년대부터 지금까지 끊임없이 이루어지고 있다. 이는 현재 파킨슨병의 약물 반응이 완전하지 못하고, 병이 진행되면서 시간이 지나면 약물 반응이 처음과 같지 못하며, 부작용 또한 있기 때문일 것이다. 새로운 약물 시험에 참가하기에 앞서 담당 의사와 충분히 상의해야 하며, 그 부작용이나 해를 알고 있어야 한다. 또한, 시험 담당자가 충분히 그 효용성에 대해 환자에게 이해시키고 동의를 얻은 상태에서 윤리적으로 절차에 맞게 진행되어야 한다.

파킨슨병의
뇌심부자극술 기전, 원리

파킨슨병의 뇌심부자극술 기전, 원리

A little pulse changes your life!
작은 자극이 삶을 바꾼다.

최근 신경외과 수술 분야에서 환자에게 드라마틱한 성공을 거두는 분야는 단연 뇌심부자극술 (DBS, Deep Brain stimulation)일 것이다. 이 수술은 전기적 자극을 조절하여 뇌 특정부위에 주어 운동기능을 바로잡는 수술이다. 뇌심부자극술은 떨림, 느림, 꼬임 이상운동을 주소로 내원하는 파킨슨병 환자들이나 운동 장애 환자들에게 많이 시행되는 수술인데, 운동질환의 원인이 되는 뇌심부에 전기 신호 장치를 삽입하고 이를 통해 지속적으로 전기 자극을 주어 이상신경회로를 조절해 증상을 호전케 한다. 이를 통해서 비정상적인 운동기능은 저하시키고, 정상적인 운동기능은 가능하게 하여 환자가 비정상적인 떨림이나 강직 등에서 벗어날 수 있게끔 돕는다. 부정맥 환자들의 심박동수를 조절하는 인공 심박동기와 비슷하다고 생각하면 이해가 쉬울 것이다. 처음 개발시도 심장의 부정맥을 치료하는 심장박동기(Pace Maker)에서 동기를 얻었다.

파킨슨병의 주요 증세들은 흑질세포의 파괴로 인해 도파민이 감소되고 이 때문에 신경전달 신호들이 영향을 받아 뇌심부의 기저핵 등 신경회로의 신호가 적절히 조절되지 않아 생기는 증세들이다. 이로 인하여 영향을 받는 부위는 시상하핵(STN), 담창구핵(GPi), VIM(시상의 일부) 등이 있다.

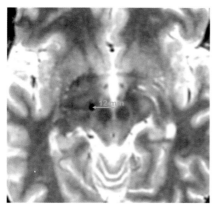

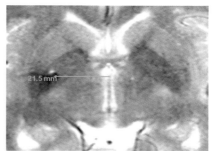

시상하핵 뇌심부자극술 위치 　　　　　　　담창구핵 뇌심부자극술 위치

　　뇌심부자극술은 도파민 손실에 의해 영향을 받는 운동세포들에 자극발생기 등을 통해 적절한 전기신호를 흘려줌으로써 정상적인 동작과 기능들이 돌아오게 하는 원리를 이용하는 것이다.

　　1950년대 응고술 및 시상 파괴술 등이 시작되었고, 1960~70년대 도파약물제제 등의 개발로 약물치료에 의존하였으나 약물부작용 등의 개선을 위해 1987년 베나비드 등에 의하여 뇌심부자극술이 개발되었다. 우리나라에서는 2005년부터는 의료보험의 혜택을 받고 있다. 지난 15년 동안 파킨슨병의 수술 치료는 많은 발전을 거듭했다. 특히 뇌의 시상하핵 또는 담창구, 시상 등에 전극선을 삽입하여 연속적으로 전기자극을 주는 방식으로 효과를 보고 있고, 최근에는 뇌각뇌교핵(pedunculopontine n)을 자극하여 걸음걸이 등에 효과를 보고 있다.

　　뇌심부자극술이 필요한 환자는 전체 파킨슨병 환자의 약 15% 정도라고 알려져 있는데, 이 수술의 적응증은 다음과 같다.

- 파킨슨병의 진단이 확실하며 진단을 받은 지 5년 이상 경과한 환자
- 레보도파에 대한 반응이 수술을 결정한 시점에서도 뛰어난 환자
- 적절한 약물 치료에도 불구하고 운동 동요나 이상운동증 같은 운동 합병증이 일상생활에 큰 장애를 줄 정도로 심한 환자
- 인지기능과 정동장애가 조절이 가능할 정도로 심하지 않은 환자
- 수술을 받기에 다른 신체 상태가 나쁘지 않은 환자

과거에 시상절제술 및 담창구 절제술 등 기저핵을 파괴시키는 방법으로 이상운동증상의 개선을 많이 시도하였으나, 이러한 방법은 침습적이고 위험이 있어 도파민 약물 개발 후에 줄어들게 되었다. 그러다가 약물 부작용 및 약으로 해결할 수 없는 이상운동 등의 해결방법으로 뇌심부자극술이 개발되어 현재는 많은 환자들이 혜택을 받고 있다. 국내에서는 약 2500-3000명의 환자가, 전세계적으로는 75,000명 이상의 환자가 효과를 보고 있다.

뇌심부자극술은 1987년 알림-루이즈 베나비드 박사가 프랑스에서 처음 발표했으며, 우리나라에서는 2000년대에 도입되어 보급되었고 2004년 보험 적용을 받게 되었다. 뇌심부자극술 개발 전에는 운동원성 질환의 치료 기법으로 약물 이외에 뇌기저 핵파괴술이나 담낭창구절제술 등의 수술이 이루어졌는데, 이러한 방법은 침습적인데다가 운동력 저하나 언어 장애 등의 합병증을 동반하는 경우가 많았다. 하지만 의학의 발달로 미세전극을 이용하여 뇌심부 구조물들의 전기 생리학적 상태를 정확히 측정하고 기록하게 됨으로써 각각의 환자에서 뇌심부 구조위치의 다양성을 교정하여 더욱 정확하게 목표지점을 찾는 것이 가능하게 되었다. 여기에 정상적인 뇌 조직을 파괴하지 않으면서 전기 자극기를 켜고 끌 수 있고, 시술 후 자극 강도를 조절할 수 있어 개인별 증상에 따른 치료를 할 수 있다는 장점은 뇌심부자극술이 새로운 운동질환의 치료법으로 주목 받는데 큰 힘을 실어 주었다.

파킨슨병으로 인한 약물복용은 1년 반이면 약물 합병증이 시작되고 5년이면 50%, 10년이면 80%의 환자가 약물로 인한 합병증을 경험하게 된다는 보고가 있다. 따라서 적절한 시기에 뇌심부자극술을 하게 되면 약물을 50%정도 감소시킴은 물론 이상운동의 개선도 가져올 수 있다.

뇌 속에서는 몸의 움직임에 대한 다양한 정보가 세포 상호 간의 전기신호를 통해 전달되고 있다. 떨림(진전), 경직, 서동증 등의 파킨슨병 증상은 이러한 전기 신호를 통한 운동회로의 정보가 바르지 못한 상태로 전달되고 있기 때문에 발생한다.

뇌심부자극술은 뇌의 특정 부위에 전기자극을 줌으로써 바르게 전달되지 않는 정보를 교정하여 파킨슨병의 이상운동 증상을 경감시킨다. 약물로 조절되지 않거나 약물 부작용 등으로 인한 약효 감소, 이상운동 증세가 심한 경우의 파킨슨병및 다른 이상운동질환과 정신질환에 있어 새로운 치료로 인정받고 있다. 뇌에 병소를 만들지 않아 가역적이며, 환자에 따라 조절이 가능하고, 언제든지 새로운 치료가 있으면 대치될 수 있다는 점이 큰 장점이라 하겠다.

수술한 환자의 80-90%가 이상운동의 개선 및 삶의 질 향상을 경험하여, 떨림이 줄거나 꼬임 등이 없어지거나 개선되고, 서동증 등이 개선되어 일상생활에서 훨씬 더 편안함을 느끼고 있다. 수술 자체는 두려움의 대상이 안되며, 운동증상의 호전과 약 30% 또는 그 이상의 약물 감소 효과 등 삶의 질 향상을 기대할 수 있다.

75세 이상의 경우 잘 권하지 않으나, 전신상태 및 뇌 상태가 건강하다면 나이는 문제가 되지 않는다. 다만 치매가 심하거나, 뇌출혈 뇌종양 등으로 뇌수술 과거력이 있는 경우, 혈액 응고장애 등 전신상태가 좋지 않은 경우에는 수술적 치료에 신중을 기해야 한다. 고령화 시대를 살고 있는 한국사회에서는 75세가 넘

메드트로닉사의 뇌심부자극기 좌)키네트라 중)솔레트라 우)최신 액티바

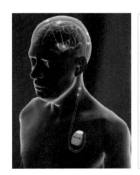 

세인주드사(St. Jude Medical) 뇌심부자극기

는 환자에 있어서도 전신상태가 건강하고 뇌의 건강상태가 양호한 경우도 제한적이지만 수술적 치료의 대상이 될 수 있다. 저자도 고령의 환자가 수술적 치료 후 삶의 질이 개선되어 일상생활에 도움을 보고 있는 환자분을 종종 보게 된다. 건강상태가 양호하다면 나이자체가 문제가 되지는 않는다. 또한, 고령의 환

보스턴 사이언티픽 시스템사의 뇌심부자극기

자에서는 시상하핵(STN)보다 담창구핵(Gpi)가 수술자에 따라서 선호되기도 한다.

파킨슨병의
뇌심부자극술 효과

파킨슨병의 뇌심부자극술 효과

운동기능 개선효과

뇌심부자극술 후 운동개선 효과는 연구자에 따라서 다르지만, 약물 없이 뇌심부자극술 효과로만 평가하였을 때 운동기능개선척도(UPDRS III) 기준으로 50-70% 호전 효과가 있으며, 약물 복용 시 평가하였을 때도 10-50% 가량 호전 효과가 있는 것으로 알려졌다. 이뿐만 아니라 삶의질개선도도 25-80% 이상 개선되는 효과를 보고되었다. 이와 같이 운동기능은 수술 전보다 수술 후 의미 있게 호전됨이 수십여가지 논문을 통해 일관되게 보고되고 있어 재론의 여지가 없겠다.

걸음걸이에 대한 효과

걸음걸이도 시상하핵이나 담창구핵 수술 후 의미있게 호전되고 걸음걸이의 동결도 역시 향상되는 것을 보여주고 있다. 최근에는 뇌간뇌교핵(pedunculopontine nucleus) 수술 시 걸음걸이에 보다 좋은 효과를 보여주었다. 2007년 저널 『브레인』에서 스테파니 박사는 시상하핵과 뇌간뇌교핵을 동시에 자극한 6명 환자에게서 운동기능 및 걸음걸이 개선 효과를 보고한 바 있다. 현재 우리나라는 보험제도상 2개 이상의 전기자극기 사용이 힘들어 동시에 두 표적을 수술하는 데는 제한이 있다. 추후 제도가 개선되어 동시자극이 가능하게 되면 더 좋은 결과들을 얻게 되리라 생각된다.

시상하핵 및 담창구핵 수술효과의 차이

수술의 표적을 뇌의 어느부분으로 할 것인지에 대한 논란이 있으나, 이는 수술자와 환자의 증상에 따른 결정일뿐 수술결과에 대해서는 큰 차이가 없는 것으로 알려져 있다. 담창구핵 수술이 정서적인 면을 고려했을 때 시상하핵 수술보다 우울감 등이 덜한 것으로 알려져 있다. 그러나 시상하핵 수술이 수술자의 입장에서는 보다 명확히 표적을 확인하고 반응을 확인할 수 있어서 더욱 용이하고 성공률이 높은 편이다.

약물 감량 효과

파킨슨병 수술 후 약물 감량 효과는 레보도파 동가용량(levodopa equivalent dose)으로 계산하여 비교한다. 이 방법은 모든 파킨슨병 계통 약물의 용량을 상기 단일 약품성분으로 동등화하여 수술 전후 약물감소 효과를 비교하는 것으로, 수술 후 약물감소효과는 30–50% 정도로 보고되고 있다. 같은 기간 수술을 하지 않는 군에서는 약물 투여량이 20% 이상 증가한다는 보고도 있어 수술 받은 환자와 받지 않은 환자의 약물 투여량 차이는 시간이 지나면 현저해짐을 알 수 있다.

무작위 이중맹검 뇌심부자극술의 효과

1987년 뇌심부자극술 후 많은 뇌심부자극술 환자들의 운동기능 및 약물감소 효과 보고가 있었다. 하지만 대조군과 이중맹검 뇌심부자극술의 효과에 대한 의문점이 있어 왔다. 2006년 독일 뇌심부자극술 그룹에서는 156명을 대상으로 한 연구를 시행하였고, 대조군 약물 복용 환자보다 시상하핵 뇌심부자극술의 수술적 치료를 받은 환자군이 더 효과적으로 개선됨을 『뉴잉글랜드 저널』에 보고하여 수술의 효과를 입증하였다.

수술 시점에 대한 효과

현재 우리나라 보험은 파킨슨병 유병기간이 최소 5년이 경과해서 수술을 하여야 그 보험을 인정해주고 있지만, 다른 국가들은 5년 등의 규정이 명확히 없이 약물로 조절이 안되거나 부작용이 있는 환자에게 수술을 진행하고 있다. 필자 역시 환자가 5년이 지나서야 수술을 하고 있는데, 물론 다른 파킨슨 유사 질환과

구별을 위해서도 2년 정도의 시간은 걸리나, 이 사이에 약물 이상반응이 있거나 수술적 처치가 도움이 되는 많은 환자들이 기다리거나 고생하고 있는 것도 사실이어서 보험 인정기준의 재평가도 필요하다고 생각한다.

일본이나 유럽 등지에서 파킨슨 유병 후 조기 파킨슨 환자에 대한 수술 결과를 발표하였는데 이에 대한 효과 역시 좋다. 2010년 슈니츠러 박사(『Forrschr Neurol psychiatry』)와 2011년 칸 박사(『J Neurol Neurosurg Psychiatry』), 2014년 샬라쉬 박사(『Parkinsonism Relat Disord』)도 유병기간이 짧을수록 수술의 효과도 더 좋다고 보고한 바 있어 진행된 파킨슨병보다는 초기 파킨슨병일 때 운동증상 이상이 오는 환자군들이 수술 후 삶의 질 개선효과가 큼을 밝혔다. 2013년 우펜 박사도 『Progress in Neurobiology』에서 수술을 좀 더 이른 시기에 함으로써 총 약물 용량을 감소시킬 수 있고, 신경을 보호하고 운동증상으로 인한 다른 신체 장애로부터 벗어날 수 있으며, 정신사회적으로도 사회에 적응기간을 오래 끌 수 있는 등 삶의 질을 개선할 수 있는 장점이 있음을 밝힌 바 있다.

독일 킬 소재 크리스찬 알브레이츠대학 도이슐 박사는 뇌심부자극술이 운동기복과 장애가 시작된 초기 파킨슨병 환자의 삶의 질 개선에 기여하므로 질병진행 초기에 뇌심부자극술을 고려해야 함을 발표하였다.

따라서, 우리나라도 보험 적용을 파킨슨병 이후 5년이 아니라 2-3년으로 낮추어 보다 많은 환자분들이 수술로 인해 삶의 질이 개선되는 효과를 보았으면 하는 것이 필자의 바람이다.

수술 연령에 대한 효과

필자가 2012년 『Neuromodulation』에 보고한 바 젊은 연령이나 노령의 환자나 뇌심부자극술 후 운동기능개선 효과는 있다. 많은 보고에 의하면 젊은 연령에서 운동기능개선 효과가 크며 수술 후 인지기능, 우울감 등 정신사회적 합병증 등이 적어 수술반응이 더 좋은 것으로 알려졌으나, 노인 환자도 신체적 건강상태만 유지된다면 수술 후 운동기능개선으로 인해 우울감, 인지기능 등에 큰 장애 없이 높은 삶의 질이 유지되는 것을 본다.

수술효과의 지속성

뇌심부자극술 이후에도 환자의 뇌는 연령에 따라 노화되며 파킨슨병은 진행되기 때문에 수술효과가 얼마나 지속되며 수술하지 않은 환자들보다 얼마나 더 효과적인지 궁금해하는 분들이 많다.

상기 연구들은 수술 후 1년, 2년, 5년, 7년, 10년 후에도 수술의 효과가 유지되고 운동기능이 개선되며 보다 높은 삶의 질을 유지함을 보고하였다. 크라크 박사 등은 2003년『뉴잉글랜드 저널』에서 시상하핵 뇌심부자극술을 받은 환자에게서 운동기능개선이 유지됨을 보고하였으며, 슬라쉬 박사도 2014년『Parkinsonism Relat Disord』잡지에서 110명의 환자를 대상으로 한 5년 이상의 연구에서 수술 후 운동기능 개선이 유지된다고 발표하고 있다.

우울증 및 전두엽 기능저하에 대한 효과

시상하핵 뇌심부자극술이 우울감에 영향이 있다는 보고도 있고 그렇지 않다는 보고도 있다. 또한 전두엽 기능저하에 수술이 영향을 미친다는 보고도 있고 그렇지 않다는 보고도 있다. 이 두 작용 역시 파킨슨병 진행 시 나타나는 증상이므로 수술의 결과와 무관할 수 있으나, 수술 시 전두엽에 원치 않는 부종 등이 동반하거나 미세출혈 등이 있는 경우엔 동반될 수 있다. 이에 대한 연구는 조금 더 진행되어야 알 수 있을 것 같다. 필자의 경험으로 볼 때, 수술 시 문제가 없고 운동기능이 호전되는 환자들은 파킨슨병의 진행보다 더한 우울감이나 전두엽기능 저하가 오지는 않는 것으로 생각된다. 수술에 따른 인지기능 개선 효과나 수술 시 호전 혹은 악화 여부에 대한 연구는 더 진행이 필요하다.

일측성수술로 양측성 효과

필자가 2012년 미국 신경외과저널『Neurosurgery』에 보고한 바가 있지만 환자에 따라서 또는 환자의 상황에 따라서 양측이 아니라 한쪽만 수술을 한 환자들이 있을 수 있다. 1999년 쿠마 박사, 2003년 바스티안 박사, 2004년 저마노 박사 등 10개 이상의 연구 결과들이 국제논문에 보고된 바에 의하면 한쪽뿐만 아니라 반대측에도 효과가 있음을 밝히고 있는데, 수술한 측이 33-75% 운동기능이 개선되고 그 반대쪽도 0-42% 호전이 있을 수 있음을 보고하였다. 이는 운동기능 개선일 수도 있고, 신경회로가 반대쪽으로 흐르고 있으므로 당연한 결과일 수도 있다. 따라서 한쪽 운동증상만 아주 심한 환자의 경우 한 측만 수술을 생각해 볼 수 있다. 수술 자체도 한쪽만 하는 경우에 시간도 절감되고 양측수술보다 더 안전하다고 할 수 있다. 신경회로는 보통은 한쪽 방향으로 가지만 일부 반대측으로 가는 회로가 있다는 것은 해부학적뿐아니라, 기능적으로 통증 및 다른 연구에서도 밝혀져 있는바이다.

수술 후 일시적 자극에 대한 효과

수술 후 전기자극기를 키지 않았는데도 일시적으로 운동기능 개선 효과를 볼수 있으며 이런 효과가 적게는 수일에서 한 달까지 유지되기도 한다. 따라서 신경조절 프로그램도 서서히 진행해서 약물과 함께 조절하여야 하며, 한-두달 가량 환자의 반응을 보면서 서서히 단계적으로 환자에게 맞는 프로그램을 시행하는 것이 좋다.

비운동증상의 호전

수술 전 레보도파 과량복용으로 인한 소화기능 장애, 운동기능 저하로 인한 우울감, 수면 장애 등 많은 비운동증상들도 수술 후 운동기능이 개선되면서 호전됨을 본다. 필자의 환자 중 변비, 소화불량, 약물 복용 시 복통 등이 수술 후 개선됨으로 삶의 질이 개선되어 수술 전보다 만족감이 높은 환자의 경우 운동기능개선 효과로 인한 비운동증상개선 효과 또한 높다고 하겠다.

뇌심부자극술의 파킨슨병의 근본적 치료효과에 대한 보고

현재로서는 뇌심부자극술이 운동기능을 개선하고, 약물용량을 절감하며, 삶의 질을 개선하는 효과는 있지만, 질병 자체를 멈추거나 완치를 하는 치료는 아니다. 허나 보다 많은 실험적 연구에서 신경보호 및 근본적 치료에 대한 연구적 접근이 이루어지고 있다. 필자는 현재의 과학기술 발전 속도로 보았을 때 필자는 보다 나은 질병개선 효과가 동반된 수술적 치료기구가 도입될 것이라 믿는다.

수술로 인한 경제적 효과

수술로 인한 경제적 약물비용 절감이 보고되고 있다. 2014년 이상운동잡지 『Movement disorder』에 독일 담스 연구자가 기고한 내용은 약물복용 그룹과 뇌심부자극술의 사회경제적 효과를 연구한 것으로 물론 수술비용, 보험비용 등이 우리나라와 사정이 다르긴 하지만 뇌심부자극술이 약물절감 등 사회경제적 비용의 감소에 기여한다고 밝혔다. 또 뇌심부자극술의 배터리 교체 등에 드는 비용절감 노력 등이 필요하며, 더 효율적이고 저렴한 뇌심부자극술이 도입된다면 약물치료에 비해서 사회경제적으로 효과적일 수 있음을 이야기하였다.

파킨슨병 뇌심부자극술의
수술진행절차

파킨슨병 뇌심부자극술의 수술진행절차

뇌심부자극술은 전극선(Electrode lead)과 자극발생기, 연장선(extention cable) 3가지로 구성된다. 수술은 크게 두과정으로 나뉘는데 전극선삽입 과정과

뇌시부자극 수술 시스템 구성

뇌심부자극 수술은 세가지부분으로 구성되며, 모두 피하에 삽입됩니다.

1. 자극 발생기

2. 전극선

3. 연장선

자극발생기의 전원을 켜거나 끌 때는 자극 조절용 자석 또는 환자용 프로그래머로 조작이 가능합니다. 자극 발생기의 전원을 켜는 것은 전기 자극을 개시하는 것을 의미하며, 자극 발생기의 전원을 끄는 것은 전기 자극을 멈추는 것을 의미합니다.

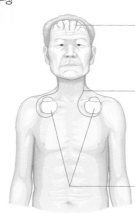

전극선
뇌의 특정부위에 삽입되어 지속적으로 미세한 전기 자극을 전달합니다.

연장선
전극선을 자극 발생기를 연결한것으로 자극 발생기로부터 송신된 전기 자극을 전극선으로 전달하는 역할을 수행합니다.

자극 발생기
전기회로와 전지가 내장되어 있어 치료를 위한 전기 자극을 발생시킵니다.

자극발생기 체부 삽입 과정으로 크게 나눌 수 있다. 전극선 이식은 국소마취로 할 수도 있고 전신마취로 할 수도 있다. 수술 전 정위틀을 머리에 쓰고, 정밀한 자기공명 영상으로 뇌에 좌표를 잡는다. 컴퓨터 프로그램에 좌표를 입력하고, 컴퓨터 좌표 프로그램을 통해 좌표를 잡는 계획작업을 한다. 이 계획작업이 끝나면 환자는 수술실로 옮겨져 부분 혹은 전신 마취로 뇌에 전극선을 이식한다. 국소마취로 수술한다면 수술 내내 대화를 나누며 문제의 시상하액 또는 담창구핵 이상 부위 위치를 확인하고 전극을 삽입해 자극기의 위치와 강도를 조절하며 반응을 기록한다. 이후 세포 모니터링 및 반응을 통해 최적의 위치가 정해지면 전극을 삽입한다.

이 수술단계가 끝나면 전신마취를 한 다음 바로 자극발생기를 양쪽 혹은 한쪽 쇄골하 부위에 삽입한다. 때로는 겨드랑이에 삽입할수도 있다. 이 두번째 과정은 비교적 간단한 과정이지만 감염에 주의해야 한다.

환자의 하루

뇌심부자극 수술의 상세과정

1. 스테레오 프레임(정외뇌수술장치)를 장착

의사 선생님이 스테레오 프레임이라는 기구를 환자분의 머리에 장착하고 고정시킵니다. 이를 통해 전기자극을 주는 특정 부위(목표위치)를 측정할 준비를 합니다. 스테레오 프레임을 고정하는 부분의 감각을 마비시키기 위해 국소마취를 실시합니다만 장착 시에 압박감이나 불쾌감을 느낄 수도 있습니다. 스테레오 프레임을 장착 하기위해서 삭발을 하는 경우도 있습니다. 이에 대해 염려가 되신다면 의사 선생님에게 상담을 요청하시기 바랍니다.

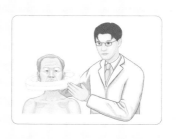

2. 자극 목표 위치를 확인

스테레오 프레임이 고정되면 자기공명영상(MRI), 컴퓨터 단층 촬영(CT) 또는 그 외의 장치를 사용하여 뇌 사진을 촬영합니다. 이 사진을 사용하여 환자의 뇌의 정확한 목표 위치를 측정합니다.

3. 전극선을 삽입

수술실에서는 고도의 시술을 갖춘 전문가에 의해 수술이 이루어집니다. 의사 선생님은 국소마취를 하고 두개골을 일부 경화하여 1.4cm 정도의 조그만 구멍을 냅니다. 구멍을 낼 때 통증은 없으며 약간의 압박감을 느낄 수도 있습니다.구멍을 통해 가는 전극선을 목표 위체에 삽입합니다.

4. 테스트 자극을 실시

전극선이 삽입되면 전극선을 외장 자극 발생기에 연결하여 테스트 자극을 실시합니다. 의사 선생님은 환자에게 몇 가지 질문과 함께 여러 동작을 지시합니다. 이는 전극선이 적절한 위치에 삽입되어 있는지 또는 자극조건이 적절한 지의 여부를 확인하기 위함입니다. '저린감'이나 '찌릿찌릿한 느낌'등이 있는가에 대해 질문을 받을 때는 느끼는 사항에 대해 정확히 답변하시기 바랍니다. 목소리를 내서 대화하는 것이 어려운지

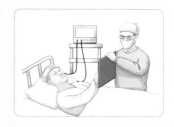

등의 사항을 조사하는 경우도 있습니다. 환자의 답변을 통해 전극선의 위치나 자극 설정값을 조절합니다. 매우 드물게 테스트 자극에 의해 증상을 조절하지 못하거나 부작용이 경감되지 않을 수가 있습니다. 이러한 경우에는 전극선을 제거하고 수술을 중지하며, 자극 발생기를 삽입하지 않습니다.

수술과정

시술자에 따라 전기자극기와 자극발생기를 하루에 동시에 수술하는 경우도 있고 나눠서 하는 경우, 즉 한쪽 수술 후 한 달 혹은 일정기간 경과 후 반대쪽을 마저 수술하는 경우도 있다. 이 방법들은 수술 결과에 큰 차이가 있기보다는 수술자의 따라 나눠지는 편이다. 다만 환자의 병이나 상태, 의료진의 상황과 환경에 따라서 전극선과 연장선, 자극발생기까지 당일에 모두 거치하는 경우와 좌, 우를 다른 날에 나누어서 하는 경우 등 여러 형태로 달라질 수는 있다. 환자에 따라 좌, 우 반구 중 한쪽만 수술하는 경우도 있다. 환자의 건강상태가 안좋다든지, 외상 및 다른 질환으로 양쪽 뇌를 동시에 수술하기 힘들다든지, 지나치게 좌우 균형이 맞지 않는경우도 나누어서 한쪽에 먼저 수술할 수 있다.

수술은 국소마취를 선호하나, 환자의 불안감이 크거나 국소마취로 힘든 운동

장애가 동반된경우 전신마취하에 진행할 수 있다. 국소마취도 대부분의 환자가 잘견딘다. 허나 수술시간이 길어지거나 노인, 요통이 심한환자등 지나치게 예민한경우는 국소마취 시간이 길어지면 환자분이 힘들 수 있어, 적절한 마취와 수술시간 단축이 필요하다.

뇌심부자극술 수술 전 환자선별은 외래에서 혹은 입원해서 약물반응 검사를 하게 되는데, 약물반응이 좋은 환자가 수술 결과도 좋기 때문이다. 모든 파킨슨병 환자가 수술이 필요한 것은 아니기 때문에, 약물 반응이 좋고 약에 잘들으면 약을 지속하여 복용하길 권한다. 전체 파킨슨 환자의 20% 정도가 수술적 치료로 도움을 받을 수 있다. 검사방법은 레보도파 등 파킨슨 약물을 24시간 이상 끊은 후 운동기능 검사를 하고, 이후 약물을 실제 복용량만큼 또는 약간 증량하여 환자의 최적의 동반응을 관찰하여 약물 전후를 비교한다. 운동기능 효과가 명확히 입증되어야 수술적 치료 시 좋은 반응을 기대할 수 있다. 이러한 약물반응이 좋아서 뇌심부자극술을 하기로 결정되었다면, 수술 당일에는 약물을 복용하지 않도록 하는 것이 좋으나, 약물없이 못견디는 정도라면 반이나 30% 정도를 복용후 수술을 진행한다.

수술 당일 아침에는 뇌정위 틀을 머리에 고정한다. 이는 머리에 1-2mm간격으로 좌표를 정하는 기본이 되게 한다. 국소적 통증이 있을 수 있으나, 3차원 좌표를 잡는게 기본이 되는 것이다. 뇌정위틀을 고정 잘해야 수술도 쉽고 정확하게 할 수 있다.

뇌정위틀을 고정한후 두부 자기공명영상을 찍는다. 환자의 증세가 심하여 움직임이 심할 경우 영상이 흔들릴 수 있기 때문에 필요에 따라 안정제를 투여하는 경우가 있다. 보통 30분 가량이 소요되며 환자에 따라 더 시간이 필요할 수 있다. 깨끗한 영상은 수술의 결과와도 연관되므로 가급적 머리를 흔들지 않도록 한다. 최근에는 수술전 두부 자기공명영상을 찍고 뇌정위틀을 쓰고 간단히 컴퓨터 촬영이나 두부자기공명영상을 찍어 합성하여 수술하기도 한다. 허나 좋은 영상은 뇌정위 틀을 쓰고 1.5T 자기공명영상을 통하여 얻는 것이 가장 정확하다. 영상이 뒤틀리거나 부정확한경우는 사진을 다시찍어야한다.

두부 자기공명영상을 정위틀을 하고 찍는 것은 첫째, 뇌 안의 시상하핵, 담창구핵 등 특정 구조물을 찾고 3차원 좌표를 잡기 위함이고, 또다른 이유는 수술

시 뇌 안에 피해야 할 구조물 특히 뇌혈관을 피하기 위함이다. 뇌정위 수술은 1.5T 자기공명영상을 권고하며 영상의 뒤틀림이 적은 것을 선호한다.

이후 이좌표는 수식으로 계산할 수도 컴퓨터로 계산할수도 있다. 원하는 좌표를 계산하는데는 최근에 여러 컴퓨터 프로그램이 있어 시간이 단축될뿐아니라 정밀도의 향상도 가져왔다. 컴퓨터로 좌표가 쉽게 얻을 수 있으나 환자마다 머리모양이나 신경핵 위치가 조금씩 다를 수 있고, 환자마다 혈관의 위치가 조금씩 달라 수술 삽입 위치와 각도 등을 정한다.

수술방으로 옮겨지면 가장 편안한 자세를 잡고, 2-3가지 소독제로 수술 전 소독을 하게 되며, 부분마취의 경우 환자가 가장 편안한 위치를 잡도록 의료진과 대화를 할 수 있다. 소독과 수술포가 씌워지면, 수술의 첫번째 과정은 전극선이 삽입될 곳에 피부절개를 하고 14mm가량 되게끔 두개골에 전극선 위치할 곳을 잡는것이다. 시끄러운 소리가 들릴 수 있으나 대부분 통증은 없다. 이후 뇌정위 틀에 아크(ARC)라는 장비를 씌워 3차원적 좌표를 완성하고 미세전극선을 삽입할 준비를 한다. 좌표값과 함께 아크와 링(Ring)값을 확인한다.

미세전극기록으로 환자의 생리적 좌표를 확인후 실제 거대자극을 하기도 하고, 미세전극기록만 가지고 수술하기도 한다. 필자의 경우 여러가지 전극기록 및 자극을 모두 확인 후 가장 안전하고 정확한 곳을 확인하는 방법을 선호하나, 환자가 지나치게 힘들어하거나 고령인 경우 전신마취를 통하여 미세전극기록만을 이용해 수술을 하기도 한다. 유럽 등 일부 외국에서는 미세전극기록 없이 좌표만을 이용하여 수술하기도 하는데, 그 결과의 차이는 크게 없다고 한다. 하지만 가능한 정밀하게 수술할 수 있도록 노력하는 것이 의학발전에 도움이 되리라 생각된다.

미세전극기록은 한쪽에 다섯 채널을 할 수 있다. 다섯 채널을 모두 기록하는 경우를 벤건이라고 한다. 수술자에 따라 여러 채널을 선호하는 경우도 있고 한 채널씩 확인해 보는 것을 선호하는 경우도 있다. 다채널을 모니터링하는 경우 많은 정보를 한꺼번에 얻을 수 있지만, 미세전극기록도 미세전극기가 뇌 깊숙한 곳까지 들어가는 것이므로 뇌출혈 위험이 있을 수 있다. 필자는 수술 전의 해부학적 계획하에 3-4 채널을 하는 것을 주로 선호한다.

이 미세전극기록을 통해 파형과 소리 등으로 시상하핵, 담창구핵, 또는 뇌 깊숙한 곳의 신경세포들의 파형을 구별해내고 해부학적 위치를 파형으로 짐작해 볼 수 있다. 미세전극기록을 하면 보다 정확한 해부학적 위치를 전기생리학적으로 확인할 수 있는 장점이 있지만, 그만큼 수술시간은 길어지는 단점이 있다.

상기 세포 모니터링을 통해 최적의 좌표가 정해지고 채널의 위치가 정해지면 전기자극을 주어 손목 및 관절에 경직은 풀렸는지, 떨림 등의 호전은 없는지, 안면이 수축하거나 감각 이상을 동반하는 부작용은 없는지 확인한다. 상기 위치로 확인된 좌표가 정해지면 최종 결정된 좌표에 전극선을 위치시킨다. 이렇게 전극선을 위치시키고 나면 전극선을 두개골에 고정하고 전극선 삽입을 마치게 된다. 전극선 삽입이 끝나면 컴퓨터 촬영 혹은 자기공명영상 등을 통해 전극선 위치를 확인하고 이상반응이 없는지 확인한다.

전극선을 삽입하고 수술을 마친 후, 자극발생기 삽입은 2단계로 하는 경우도 있고 곧바로 하기도 한다. 자극발생기는 보통 쇄골하에 위치시키는데, 환자가 여성일 때는 원하는 경우 겨드랑이에 위치시키기도 한다.

뇌심부자극술 수술장치는 전극선(Lead), 연장선(extension), 자극발생기(IPG)로 이루어져 있다. 전기발생장치는 환자의 쇄골쪽 피하에 삽입을 한다. 두피에서 전극선과 연장선을 연결하고 고정한 후, 피하를 통해 쇄골하에 자극발생기를 위치시킨다. 두피 및 쇄골하 피부부위 역시 감염 등이 일어날 수 있는 부위이기 때문에 수술적 처치 시 주의해야 한다.

뇌심부자극술 치료 자극부위

질병 및 증상에 따라 표적은 달라질 수 있다.

- 담창구(Globus pallidus internus, GPi): 파킨슨병 증상 치료에서 자극에 대한 목표 부위
- 시상하핵(Subthalamic nucleus, STN): 파킨슨병 증상 치료에서 자극에 대한 목표 부위
- 시상중간복측(Ventralis intermedius, Vim)(중간복측) 핵: 파킨슨병 혹은 본태성 진전에서 진전을 치료하기 위한 목표 부위; 파킨슨병에서 진전이외의 증상은 크게 호전되지 않는다.

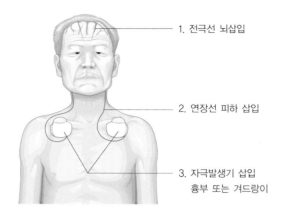

1. 전극선 뇌삽입

2. 연장선 피하 삽입

3. 자극발생기 삽입
   흉부 또는 겨드랑이

- 뇌간뇌교핵(pedunculopontine nucleus, PPN): 최근 파킨슨병의 보행장애, 운동불능증 등에 효과가 있다고 알려져 있다.

파킨슨병 환자에게서 주로 선택되어지는 부위는 시상하핵과 담창구핵이다. 필자도 특별한 경우를 제외하고는 시상하핵을 수술위치로 선호한다. 이는 환자와 상관없이 영상학적으로 표적을 찾기 편리하고, 환자의 여러 이상운동을 동시에 호전시킬 수 있기 때문이다. 하지만 정서적으로 불안하거나 우울감을 보이고 이상운동증이 심한 환자라면 담창구핵을 수술할 수도 있다. 유럽 등지에서 연구되고 있는 뇌간뇌교핵도 좋은 반응이 예상된다.

뇌정위틀에서 3차원 좌표 얻는 방법

뇌는 사람마다 크기가 다르고 인종마다 모양이 다르다. 따라서 그 좌표를 찾는 것은 뇌정위 수술 시 매우 어렵고 중요한 일이다. 여기에는 좌표시스템(Cartesian coordinate system) 혹은 3차원 매핑에 사용되는 동일한 용어를 사용하는데 보통 3차원 좌표를 이용하여 표시하고, 사람마다 머리크기가 다르므로 주요구조물을 랜드마크로 사용한다.

좌표는 영상을 얻은 후 X, Y, Z 좌표(coordinates)로 표현된다.

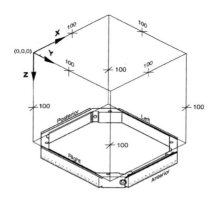

The Leksell coordinate system with its origo.

뇌정위좌표

목표부위에 대한 X좌표는 뇌의 중앙선에서 귀 쪽으로 얼마나 멀리 떨어져 있는가를 수치적으로 표현한다. X값은 일반적으로 '외측성(laterality)'으로 나타난다. X값이 커질수록 두개골의 측면 쪽으로 위치가 움직이고 부위도 좀더 측면(lateral)에 가깝게 된다. X값이 작아질수록 뇌의 중앙선에 가까워지고 부위도 좀더 중앙(medial)에 위치하게 된다.

목표부위에 대한 Y 좌표는 얼굴 혹은 척추 쪽으로 얼마나 떨어져 있는가를 나타낸다. Y값은 두개골의 전방과 후방 간의 중간 0점에서부터 척추 쪽으로 움직임에 따라 후방(posterior direction)에서 증가하고, 코 쪽으로 부위가 움직임에 따라 전방(anterior direction)에서 증가한다. Y값이 작아지면 부위는 두개골의 전(후방 간에서 중앙에 더 가까워진다.

목표부위에 대한 Z좌표는 부위가 두개골의 상단 혹은 목 쪽으로 얼마나 멀리 떨어져 있는가를 나타냅니다. 위치가 두개골 상단에 있을 때 움직임은 상향에 있는 것이고, 위치가 목 쪽으로 움직일 때 하향에 있는 것이다. Z값은 리드(lead)가 도입됨에 따라 리드의 상대적 깊이를 측정하기 위해 사용된다.

뇌정위 지도 및 생리학적 좌표를 이용한 좌표 선정

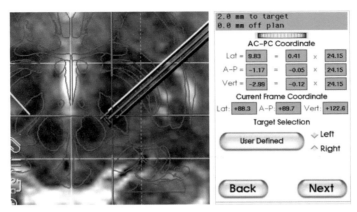

뇌심부자극술 수술 컴퓨터 플래닝

- 뇌 지도: 3~4가지 해부학 교재를 이용하여 결정한다.
- 영상: 자기공명영상이나 컴퓨터 촬영, 혹은 복합하고 융합한 최적의 영상을 통해 좌표를 선정한다.
- 해부학적 목표선정: 해부학적 지도를 이용하여 목표 좌표를 결정한다.
- 생리학적 위치선정: 목표위치에서 세포 전극기록을 통하거나 환자의 반응을 통해 위치를 평가한다.

좌표를 잡을 때 이용되는 해부학적 랜드마크

사람마다 머리크기가 다르고 인종 및 남녀에 따라 달라서 그 기준이 되는 좌표로, 대뇌를 서로 연결하는 정중앙의 두 지점을 잡는다. 이 전방교련(AC)과 후방교련(PC)은 뇌심부자극술에서 목표를 정하는데 주요한 기준이 되는 좌표이다.

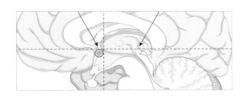

- 전방 교련(AC, Anterior Commissure)
- 후방 교련(PC, Posterior Commissure)

목표위치에서 최선의 위치 결정

좌표선정은 전극선을 최적의 위치에 자리잡게 하는 동안 전극선 및 미세전극 위치를 결정하는 과정에 중요하다. 해부학적 위치가 중요하겠지만 때로는 미세전극기록 외에 자극후 신체반응으로 정하기도한다.

- 신체 혹은 촉각 변화
- 미세전극기록: 미세전극을 둘러싼 세포의 산출을 구별할 수 있으며 뇌에서 전극의 정밀한 위치를 보여준다.
- 수술 중 시험자극: 전극선 혹은 미세전극을 통한 자극을 통해 환자에게 해부학적 자극위치를 알려줌으로써 좌표선정에 도움이 된다.

미세전극기록 (MER,microelectrode recording)

미세전극기록은 뇌에서 미세전극을 수신하여 신경세포가 내는 신호를 증폭하게 하여 보는것이다. 전극신호는 신경세포의 파형 및 주파수 소리로 나타난다. 떨림 세포를 찾을 때는 시상에서 떨림 환자에서 증상이 최대로 좋아지는 곳을 목표로 한다. 환자의 떨림 주파수와 동일한 주파수에서 움직이는 것으로 나타나고, 이를 이용하여 수술적 치료를 할 수 있다. 미세전극기록의 이용 및 마취등에 대해서 0는 각각의 장단점이 있고 그 결과에 대한 논란도 있으나, 향후 발전시켜

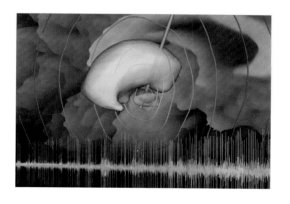

나간다면 좀더 완벽한 수술을 하는데 도움이 되고 필요하다. 미세전극기록하는 동안 지나치게 힘들다면 전신마취로 진행할 수 도 있어 의료진과 상담이 필요하다.

거대자극 (Macrostimulation)

거대자극이란 전극선을 통해 자극을 주어 환자의 신체반응을 보는 것으로서, 미세전극 기록 후 자극을 통하여 삽입한 전극선 위치를 재확인하는 과정으로 수술중 필요할수도 있고 생략할수도 있는 과정이다.

자극의 부작용

자극의 부작용은 뇌에서 전극 위치가 어디인지를 알 수 있는 중요한 생리학적 지표이다. 자극 부작용을 확인해 봄으로써 신경외과 의사는 3차원적 해부학적 구조를 확인하고 전극선의 위치를 머리에 그려 수술에 도움을 얻을 수 있다.

- 지속적 감각이상: 감각이상은 리드 위치가 너무 후방 혹은 중앙에 있음을 나타낸다.
- 시각장애: 만일 낮은 전압에서 장애가 발생하면(특히 담창구핵을 자극할 때) 전극 위치가 시각도(optic tract)에 너무 가까이 있음을 나타낸다.
- 비정상적 근육수축: 전극 위치가 운동신경회로에 너무 가깝거나 너무 외측에 있음을 나타낸다.
- 정서적 반응: 공포감 혹은 우울감은 전극선이 최적 목표부위 하단에 있음을 나타낸다.

최적의 결과

최적의 자극위치는 운동기능개선은 최대이면서 자극으로 인한 불편감이 없는 것을 말한다. 시각장애, 운동 이상, 언어 장애, 강한 정서적 반응은 모두 자극의 불편함으로써 전극의 자극 위치를 조정할 필요성을 나타낸다. 일시적인 감각이상은 괜찮으나, 강하고 불쾌감을 유발시키는 감각이상은 전극의 자극 위치의 변화가 필요하다. 환자분들도 지나치게 예민하기보다는 본인이 상대적으로 가장 편안 위위치 찾는 것이 적절한 위치 설정에 도움이 된다.

수술 후 조절과정 (Programing)

수술 후에는 자극발생기(IPG)를 조절하여 환자의 운동증상을 완화시킨다.

작은 자극이 환자의 운동기능을 변화시킬수 있다. 자극발생기는 여러 방식으로 조합된 자극을 환자의 운동증상 개선 정도에 따라 외부에서 조절하며 증상을 조절하며 완화시키는 장치이다. 조절 장치는 의료진(의사 및 간호사)용과 환자개인용으로 나뉘는데, 환자용의 경우 현재 국내에서는 환자가 구입한 후 의료진의 교육을 받아야 한다. 교정의 시기는 의료진에 따라 다른데, 수술 후 바로 교정을 할 수도 있고, 수술 후 3-4일 후에 처음 자극발생기를 조절하기도 한다. 때로는 퇴원 후 외래방문 시부터 조절을 시작하는 경우도 있다. 개인용조절기의 경우 교육을 받을 수 있을정도의 인지능력이 요구되며 필요시 구입하여야한다.

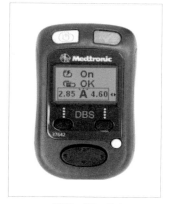

개인용 자극조절기

조절할 수 있는 부분은 자극의 세기인 전압(volt)과 주파수(Hz), 펄스폭(Width) 등이며, 이것들을 사람에 따라 적절히 조합하여 환자마다 최적의 자극을 찾는다. 전압은 서서히 단계적으로 조절하여 환자의 최고 좋은 상태를

의료진용 자극조절기

알아내는 것이 좋다. 처음에는 단극 자극(monopolar)을 주어서 전극선에 있는 4개의 단자 중 최적의 전극을 찾고, 여기서 전압, 주파수, 펄스폭 등을 조절하여 최적전극과 반응을 찾는다. 이 때 적정자극보다 높게 주어 비정상반응 다소 높게 나타나는 운동 혹은 감각자극까지 찾는 것이 좋다. 그 다음은 양극자극(bipolar)를 위, 아래로 주어서 단극정도와 양극정도의 반응을 비교한다. 자극발생기 수명의 절약을 위해서는 지나치게 높은 자극보다는 낮은 전압과 단극 자극을 오래 사용하는 것이 유리하다. 최근에는 자극발생기의 기기의 교체시점을 미리 알게 하

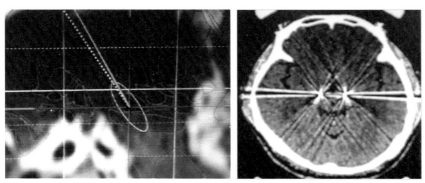

뇌좌표프로그램에 의해 정밀하게 삽입된 전극

거나, 다채로운 프로그램을 가능하게 하는 자극발생기가 여러업체에서 출시되어 도움을 주고 있다.

뇌심부자극술 후의 주의사항

　뇌심부자극술 이후 생길 수 있는 가장 큰 위험은 뇌출혈과 감염이다.

　뇌출혈은 수술 직후에 나타나는 경우가 대부분이나, 어떤 경우에는 수술 후 수일이 지나서 오기도 한다. 작은 뇌출혈은 보통 회복이 되는데, 일시적으로 사지의 위약감 및 저림, 언어 장애, 발음장애 등이 나타난다. 하지만 큰 뇌출혈이 생기게 되면 약물치료 외에 수술적 치료가 필요할 수 있으며 마비나 장애 등 증상이 심각한 경우 생명에 위협이 될 수도 있다. 그러나 대개 뇌출혈의 위험은 극히 낮은 편이다. 항지혈제나 항혈소판 약물복용력이 있거나 지혈장애가 있는 경우에는 수술 전에 반드시 의료진에게 알려서 필요 시 약물 조절이나 처방을 받아야 한다.

　뇌심부자극술은 외부 물질을 신체에 이식하는 것이므로 알레르기 같은 염증반응부터 농양이 나오는 감염까지 있을 수 있다. 심하지 않은 감염 등은 약물로 치유가 되지만, 곪아서 균이 배양되는 경우에는 항생제를 장기간 사용하여야 하며, 해결되지 않는 경우 자극선이나 케이블 등을 제거해야 될 수도 있다. 2012년 세계정위기능 학회지에 필자가 보고하였듯이, 두피 및 전극선 등 삽입 시 피부가 압박되는 높이를 줄이고 전극선을 유양돌기보다 멀게 하여 피부 깊숙한 곳에 위치하게 하면 수술의 감염을 줄일 수 있다. 머리카락에 관해서는, 발모를 하고 수술하든지 그렇지 않든지 염증에는 큰 차이가 없는 것으로 밝혀져 있다. 필자는 환자의 의견을 존중하여 발모 등을 하고 있으며, 꼭 필요한 경우 외에는 발모를

수술후 두피돌출을 피하는방법(2012, 저자 Stereotact funct Neurosurg 기고)

하지 않는다.

수술 후에 일시적으로 발음장애, 사지의저림, 혼돈 또는 꼬임 등이 나타날 수 있는데, 이는 수술과 관련되어 생기는 증상으로 대부분 수일 또는 수주 지나면 회복될 수 있다. 수술 중 신경회로의 테스트 시나 혹은 주변을 지나면서 생기는 부종으로 인한 증상이 가장 많은데, 이 부종이 가라앉는 경우 대부분 증상이 회복된다.

또 수술 후 사지나 얼굴의 감각이상, 언어장애, 증상의 악화, 부분적인 마비, 불수의적인 근육의 수축, 운동장애, 감각저하 등이 있을 수 있는데, 이는 수술 후 부종이 감소하면서 시간이 경과함에 따라 좋아지거나 수술 후 자극 프로그램을 조절해서 좋아질 수 있다.

수술 초기(2주 혹은 한 달)에는 수술 후 안정 및 자극조절 등이 필요하므로 이러한 증상들에 대해 지나치게 걱정하지 말고 의료진의 권고를 따르면서 이상반응 등을 조절할 수 있도록 하면 된다.

수술 후에 수술반응이 너무 좋기 때문에 생기는 문제들도 있다. 수술의 효과 때문에 일시적으로 레보도파 용량이 과하여 이상운동이 심해지거나 혼돈, 수면장애 등이 찾아올 수 있는데, 이는 레보도파 용량의 감량 등 약물조절 과정을 거치면서 대부분 호전되는 증세들이다.

수술 후 일상생활에서 특별히 조심할 점은 없지만, 자극발생기(IPG)를 가지고 있기 때문에 다른 이유로 자기공명영상을 찍을 경우 반드시 의료진에게 사전에 이야기해야 하며, 공항 등 보안시설을 통과할 때 뇌심부자극술 환자라는 것을 알려야 한다. 또한 현재 자극발생기가 5년 정도 유지되므로 정기적으로 체크하여 필요 시 바꿔야 한다.

수술 후 환자는 5-7일 이후에 퇴원할 수 있다. 퇴원 시에는 상처의 딱지를 일부러 뜯지 말고 연고 등을 발라서 보호해야 한다. 또한 물이나 외부물질이 들어

가서는 안되므로 샤워나 목욕, 사우나 등은 상처가 완전히 치료된 후에 하는 것을 권한다. 머리는 수술 후 5-7일이면 샤워하듯이 감을 수 있지만 지나치게 문질러서는 안 되며, 샴푸등으로 감고 가볍게 헹구며 드라이로 말린 후 소독한후 항생제 연고등을 발라 보호하는 것이 좋다. 염색에 대한 정확한 기준은 없지만 상처치료가 완료된 후 한 달 정도 후에 하기를 권유한다. 손톱이나 손 및 피부가 상처감염을 일으키는 가장 큰 원인균일 수 있어 깨끗이 관리하도록 한다.

퇴원 후 의료진이 지시해 준 파킨슨 약물을 규칙적으로 복용하고 외래 방문시간을 지키도록 한다. 환자증명카드는 환자가 뇌심부자극술을 받았다는 것과 자극발생기 정보를 알려주는 것이므로 반드시 가지고 다녀야 한다. 뇌심부자극술을 받고도 외국 등으로의 비행기 여행이 가능하나, 자극발생기나 케이블 등의 기기 때문에 검색대를 통과할 때 문제가 될수 있다. 이 때는 환자카드를 보여주면 문제가 되지 않는다. 자기공명영상 촬영, 인공심장 박동기, 심장치료기, 제세동기, 초음파기기, 전기 소작기 열치료기기등은 방사선 치료 등에 영향 받을 수 있어 환자카드를 휴대하여 보여줄수 있으면 좋다.

수술 후 운동은 가벼운 보행 자세이동부터 시작하여 늘려나간다. 처음에는 약물농도가 너무 낮거나 수술 후 오히려 너무 높을 경우 불편할 수 있으나, 자극조절이 적절히 된다면 전보다 나은 걸음걸이 및 운동능력을 보이게 된다. 그렇지만 지나친 운동은 피하는 것이 좋으며 특히 머리나 목 부위에 외상의 위험이 있는 격투기, 유도 등은 금해야 한다. 일부 환자들은 무리하게 산을 오르거나 자전거, 오토바이 등을 타다가 사고가 나기도 하니 수술 후 운동기능이 개선되었다고 과신하지 않도록 주의한다. 파킨슨병 환자들은 넘어짐, 외상 등에 각별한 주위가 필요하다. 필자도 수술 후 경과가 너무 좋아 등산과 자전거를 즐기다가 넘어져서 외상으로 고생하신 환자분들을 몇 분 보아왔다. 파킨슨병 치료기간에는 본인에게 맞으면서 외상의 위험이 적은 운동을 택하여 즐기는 것이 좋다.

뇌심부자극술의 이러한 이점에도 불구하고 모든 파킨슨병 환자가 수술 가능한 것은 아니다. 임산부, 18세 미만이거나 75세 이상의 환자, 치매가 심하거나 뇌종양, 뇌출혈 등으로 뇌에 심각한 손상이 있는 환자, 혈액응고장애, 심한 우울증, 여명을 단축시킬만한 심한 신체적 질병이 있는 환자의 경우는 수술을 권하지 않는다.

파킨슨병의 새로운 치료

파킨슨병의 새로운 치료

 파킨슨 관련 질환은 치료가 어렵고 계속 진행하는 병이다. 때문에 기존의 치료법으로 효과가 적어서 만족하지 못하거나 계속 진행이 될 경우 환자의 입장에서는 새로운 치료에 대한 요구가 커지기 마련이고, 의학자들도 이를 위해서 많은 노력을 기울이고 있다.

 이런 새로운 치료는 윤리적 기준에 맞게 적법한 연구절차를 거쳐서 얻은 연구결과를 토대로 임상연구로 이어져서 그 효과가 입증되어야만 임상단계의 환자에게 사용할 수 있는 것이다. 그러나 일부 국내외 의료 업자들이 환자들의 기대를 호도하여 효과가 없거나 검증되지 않은 세포치료 등을 무분별하게 환자에게 권하여 사회적 문제가 제기되기도 하므로, 환자 및 보호자는 이에 현혹되지 않도록 세심한 주의를 기울여야 한다.

 파킨슨병 환자 중 일부는 독일, 일본, 혹은 국내에서 지방줄기세포나 기타 세포치료를 한다고 하여 많은 액수의 돈을 낭비하고 있지만 그러한 세포치료는 검증되지 않았을 뿐만 아니라 국내에서 허가된 바도 없다. 더구나 정맥투여 지방줄기세포는 사람의 뇌 속에서 신경세포나 도파민 세포로 가지도 않을 뿐더러 심각한 부작용을 일으킬 수 있기 때문에 환자들은 철저히 의료진의 권고를 받아들여서 현혹되지 말아야 하겠다.

유전자 치료

유전자 치료란 벡터라는 운반체를 사용하여 필요한 유전자를 세포에 주입하여 치료하는 방법을 말한다. 바이러스가 세포를 침투하는 성질이 있기 대문에 바이러스의 병원성을 유전공학적으로 제거하고 이를벡터로 하여 치료 유전자를 붙여 세포에 직접 전달시키는 것이다. 유전자 치료로 도파민 발현을 항진하여 증상을 개선하거나, GAD(Glutamic Acid Decarboxylase) 유전자를 시상하핵에 넣어 운동기능을 개선하거나, 신경보호 기능이 있는 물질을 유전자에 달아 파킨슨의 진행을 막아보고자 하는 방향으로 연구가 되고 있다.

	유전자
증상개선	AAV2-AADC
	AAV2-GAD
	EAIV-TH/GTPCH1/AAD
	Lenti-TH-AADC-CH1
신경보호	AAV2-Neurturin
	AAV-GDNF

최근 2011년 『란셋』 신경학 저널에 발표된 제2상 임상연구에서 AAV2-GAD 유전자 치료를 이용하여 66명의 환자군 중에(중간에 연구에 참여하지 않은 환자를 제외한) 22명 환자에게는 유전자 치료를 하였고, 23명은 대조군 처치를 하였다. 치료 6개월 경과 후 치료결과를 이중맹검법으로 비교한 결과, 유전자 치료를 받은 환자의 UPDRS운동점수가 8.1점 감소한 결과를 보여 희망적인 결과를 제시하였고, 현재 제3 상 임상연구에 들어가서 기대가 되는 연구를 진행하고 있다.

또한 2009년부터 저자와 뇌신경분야의 여러 공동연구를 진행 중인 프랑스의 자라야 박사는 『Science Translational Research』 저널에 Lenti-TH-AADC-CH1 유전자를 원숭이 선조체에 삽입하여 이상운동증이 없이 운동개선 효과를 얻을 수 있음을 보고하여 학계의 주목을 받았고, 곧 임상연구를 준비 중에 있다.

줄기세포 치료가 아직 제1상 혹은 2상 연구에 머물고 있는 반면, 유전자 치료

2014년 자라야 박사를 충북대 심포지엄에서 초청하여 필자와 청남대에서 연구분야등 환담을 나눔

는 2상 연구를 넘어 3상 연구가 일부 진행 중이어서 기대되는 바가 더욱 크다.

줄기세포

그동안 많은 줄기세포 치료가 파킨슨병의 치료에 시도되었다. 만약 도파민이 분비되지 않는 세포를 대신하여 줄기세포가 충분히 도파민 분비기능을 기능한다면 이론적으로는 그와 같이 좋은 효과를 내는 치료가 없을 것이나, 줄기세포가 뇌신경세포와 충분히 시냅스를 유지하면서 오랜 기간 사람의 뇌 속에서 생존하는 것은 아주 어렵고, 많은 신경호르몬 속에서 적절한 시냅스를 유지하고 또 적절한 신경회로를 유지하는 일도 어렵다.

2011년 저명한 신경학 저널 『Annal Neurology』에서 미국의 알터만 박사는, 아인슈타인의 말을 인용하여 '기계적으로 세포치료 시험을 반복하는 일이 얼마나 무모한 것인가'를 지적하였다.

오른쪽 표에서 보듯이 실험군이 대조군에 비하여 명확히 좋은 효과는 없으면서 오히려 이상운동증 및 중대 합병증을 유발하기 때문에 실험이 더이상 진행되지 못하고 있다. 적절한 줄기세포 연구라면 최소 12명 이상의 환자군과 대조군이 있어야 하며, 줄기세포가 1년 이상이 되면 사멸하여 효과가 없어진다는 보고가 많으므로 1년 이상 연구된 군이어야 한다. 또한 임상시험에 참여하는 환자가 이중맹검에 의하여 환자 및 의료진에 의하여 분명하게 평가되어야 하며, 참여하는

▼ 파킨슨 병에서 진행된 6가지 세포치료 결과

세포	실험인원	위약군 효과	실험군 효과	합병증
배아줄기세포1	7	0	18%	이상운동증 15%
배아줄기세포 2	6	24	−18	이상운동증 56.5%
돼지 배아줄기세포	12	32	31	알려진 바 없음
성장인자(GDNF)	5	10	4.5	25% 중대합병증
	10			
Spheramine	6	21	22	6명 사망 1명 이상운동증
Cere−120	12	20	17	2명 사망

환자도 현재까지 줄기세포 실험결과의 한계에 대해서 동의하여야 한다(알트만 박사, Annal Neurology, 2011). 쥐를 대상으로 한 실험에서 세포치료가 성공적인 효과를 보여준 예가 있지만, 쥐에게 도파민이 정상적으로 분비되고 신경세포가 잘 자라고 있다고 해서 이것이 사람에게 적용되기는 힘들다. 쥐와 사람의 신경세포 수 및 시냅스 수의 차이는 실로 엄청나며 그 연결 또한 사람이 훨씬 복잡하기 때문에, 줄기세포가 살아있고 도파민을 분비한다는 사실 하나만으로 바로 사람에게 적용하기는 어려운 것이 현실이다. 또한 최근 파킨슨병이 뇌 흑색질이나 뇌간 깊숙한 곳에 국한되지 않고 뇌피질까지 확산된다는 설은 파킨슨병의 세포치료가 얼마나 어려운가를 반증해주고 있다. 2003년에 헤이코 브락 박사는, 알파시뉴클레인이 세포에 쌓이는 루이소체가 단순히 뇌간에 머물지 않고 전두엽 및 신피질까지 광범위하게 분포하게 되어 병이 진행한다고 발표한 바 있다. 따라서 병인이 되는 비정상 단백질이 쌓여 신경세포가 사멸하는 과정에 초점을 맞추는 치료가 되어야지, 단순히 도파민 분비세포를 이식한다고 해서 그 세포 및 세포 주위 사멸기전을 막기는 힘들다는 것이 세포치료의 문제점이라 하겠다.

SiRNA를 이용한 알파시뉴클레인 생성 억제 연구

파킨슨병은 도파민성 세포에서 산화적 스트레스에 의해 알파시뉴클레인 양이 증가하여 세포가 괴사하는 질환으로, SiRNA를 이용하여 알파시뉴클레인 양을 감소시키면 세포의 생존율을 높일 수 있다. 이를 위해 각종 바이러스 등을 통해 SiRNA를 세포에 전달하는 연구가 시도되고 있는데, 결과가 기대하는 바대로 나타나기 힘들고 예측이 어렵다는 난점이 있다. 하지만 알파시뉴클레인 양을 감소시키는 근본적 연구라는 데 가치가 있으며 향후 연구결과가 주목된다.

광유전자학을 이용한 신경회로 치료

광유전자학은 빛의 자극이 신경회로의 채널을 활성화시켜서 작동하게 하는 기술이다. 즉, 빛 자극을 두개골 혹은 뇌에 삽입함으로써 망막에 존재하는 단백질 분자인 옵신을 유전자에 넣어 세포 내에 삽입시키고 빛의 자극에 따라 활성화하게 하는 것이다. 이는 빛의 자극에 따라 뇌신경의 활성도를 조절할 수 있다는 점에서 그 연구의 가치가 있다. 미국 스탠포드 대학의 크라비치 박사, 다이어스 박사 등이 정신과 및 파킨슨 등의 연구에서 그 적용 가능성을 활발히 연구하고 있다.

파킨슨병 백신

오스트리아 회사인 AFFiRis가 '파킨슨병은 비정상적인 알파시뉴클레인이 몸에 쌓이고 이것이 뇌에 광범위하게 퍼져서 생기는 병이므로, 비정상단백질에 대한 우리몸의 면역 시스템을 활성화시켜서 치료할 수 있다'는 가설 하에 백신후보물질인PD01A의 임상시험 프로젝트를 통해 32명에 대한 연구를 진행하고 있다. 허나 비슷한 원리로 치매 환자에게 행해지던 타우 단백질에 대한 백신연구가 안전성 문제로 중단된 예가 있기 때문에 그 결과에 대한 전망이 밝지만은 않다.

새로운 약

파킨슨병 약은 보통 장기적으로 복용하다보니 그로 인해 생기는 문제들과 또 파킨슨병이 진행되면서 생기는 문제들을 개선하기 위해 끊임없이 새로운 약들이 개발되고 있다. 이러한 약들은 적합한 임상시험을 거쳐서 이용되고 있으니 파킨슨병 전문의와 상의하여 적절히 이용한다면 도움을 받을 수 있다.

기타 새로운 치료

　고주파치료 및 저주파 온열치료, 면역치료 등 필자가 진료실에서 들어보면 여러 가지 대체치료들을 받는 환자들이 많다. 심지어는 파킨슨병을 완치한다는 한약부터 중국에서 30만원씩 한다는 고주파 라디오까지... 의료진의 한 사람으로써 무분별하며 걸러지지 않은 비의료인들의 상술에 파킨슨병 환자들의 가슴이 퍼렇게 멍드는 것을 볼 때마다 가슴이 아프다.

　파킨슨병 환자나 가족들은 파킨슨병이 금방 호전되지 않는다고 해서 파킨슨병 전문의로부터 권유받거나 검증되지 않은 치료에 의존하기보다는 의료진을 믿고 병을 개선하도록 노력하는 것이 현명하게 치료받는 길임을 밝히고자 한다.

파킨슨병 뇌심부자극술
환자들이 자주 묻는 질문들

파킨슨병 뇌심부자극술 환자들이 자주 묻는 질문들

1. 뇌심부자극술은 병을 완치시키는 것인가요?

뇌심부자극술은 파킨슨병의 운동기능을 개선하고 치료약물을 감소시켜 삶의 질을 향상시키나, 파킨슨병을 완치시키는 수술은 아닙니다.

2. 뇌심부자극술은 위험한가요?

뇌심부자극술은 1-2%의 위험도가 있는 수술입니다. 감염, 뇌출혈 등은 아주 위험한 합병증이고 그 외 염증이 생기는 경우가 있으며, 기구가 고장나거나 문제가 생기는 경우도 생깁니다.

수술 후 일시적인 목소리 이상, 혼돈, 사지 위약 등은 시간이 지나면 회복이 되는 증상입니다.

3. 수술 후 얼마나 병원에 와야 하나요?

수술 후 2-3일 혹은 일주일 정도 지나면 기계를 켜서 반응을 확인합니다. 보통 일주일에 한번씩 방문한다고 할 때 한달 가량이 지나면 환자에게 맞는 자극을 찾을 수 있습니다. 일단 가장 좋은 자극을 찾으면 그 다음에는 2-3개월에 한번씩 약물처방을 받을 때 방문하면 좋습니다.

4. 수술이 아픈가요?

수술은 부분마취로 진행하기도 하고 전신마취로 진행하기도 합니다. 건강한 환자분들은 부분마취로 수술하기를 권하나, 고령이거나 수술의 두려움이 큰 경우에는 전신마취로 수술하기도 합니다. 수술의 통증은 경미하지만 몇일 정도 갈 수도 있습니다. 진통제 등을 충분히 처방하여 통증 정도를 경감시켜 참을 수 있도록 하며, 부분마취로 수술하는 경우에도 통증을 거의 못느낄 정도로 수술부위에 마취를 합니다.

5. 수술의 효과는 얼마나 가나요?

수술의 효과는 10년 이상으로, 수술 결과도 뇌심부자극술을 한 환자군이 효과가 유지되며 삶의 질을 개선시켰다는 보고가 있습니다.

수술을 하지 않는 경우보다 수술을 하는 경우 의미있게 운동기능을 개선하고 약물 합병증을 줄일 수 있다고 하겠습니다.

6. 자극기는 얼마만에 교체해야 하나요?

국내에서는 3-5년 정도 유지되는 자극기가 보급되고 있지만, 유럽 및 미국에서는 10년 정도 유지되거나 충전이 되는 자극기가 보급되어서 곧 이 문제는 사라지리라 보고 있습니다. 또한 자극기를 하나만으로 하고 양측 전원이 유지되는 것도 이미 해외에서는 나와 있습니다. 그러나 국내에서는 건강보험심사평가원과 수가 문제가 해결되지 않아 이러한 기기들의 보급이 차일피일 늦어지고 있는데, 더 편한 수술을 제공할 수 있는 기회가 지연되어 안타까운 면이 있습니다.

7. 자극기가 꺼지면 어떻게 하지요?

집에서 조절이 가능한 간이용 조절기구가 보급되어 있습니다만 추가 구매비용이 들게 됩니다. 반복적으로 꺼지는 경우 의료진과 상담하는 것이 좋습니다. 종종 강한 자극 근처에 간 경우나 MRI, 고압선 등의 장비 근처에 갈 시 꺼지는 경우가 있습니다.

8. 수술하면 약은 어떻게 하나요?

약은 적절히 줄여서 복용할 수 있습니다. 일단 운동기능이 개선되고 환자가 편하게 느끼는 선에서 약물을 감량할 수 있습니다. 저는 수술 후 약을 50% 감량시킨 후 1-2개월에 걸쳐서 환자분에게 맞는 약 용량을 결정합니다.

9. 수술비용은 얼마나 드나요?

2005년부터 국내에서도 보험이 적용되고 있어서 많은 환자분들이 혜택을 보고 있습니다. 또한 파킨슨병 환자는 희귀난치질환 지원 및 파킨슨 협회의 지원도 받을 수 있습니다. 여전히 환자 입장에서는 입원비와 수술비 등 높은 비용 부담으로 인해 어려움을 겪는 것이 사실입니다. 그렇지만 저희 환자 중에서도 각종 지원혜택을 통해 예상했던 비용보다 저렴하게 수술을 받으신 분들이 많으니 병원, 사회사업 단체 및 보험사 등과 상의해보시는 것이 도움이 될 것입니다.

10. 수술 후 흉터가 많이 남나요?

머리카락 안쪽 부위이기 때문에 상처가 많이 남지 않습니다. 전기자극 발생기 삽입 부위인 가슴에 길이6-8cm상처가 나는데, 보통 상처를 최소화하기 때문에 그리 크지는 않습니다. 머리숱이 적은 환자분이나 여자분들을 위해 표시가 적게 나는 수술 방법을 2010 『Stereotactic Functional Neurosurgery』에 소개한 바 있습니다. 가슴의 상처도 전기자극 발생기를 하나만 사용한다면 하나로 줄일 수 있습니다. 저는 대부분의 환자분을 수술할 때 한쪽으로 케이블을 내리기 때문에 이 또한 줄일 수 있습니다. 하지만 모든 경우에 적용되지는 않습니다. 최근 자극발생기는 하나로 두개의 전극선 자극이 가능하나 불행히도 우리나라에서는 현재 보험적용이 되지 않고 있어 안타깝습니다.

11. 운전해도 되나요?

네, 일부 장애가 있는 환자분을 제외하고는 운전이 가능합니다.

12. 사우나가 가능하나요?

상처 치료가 다 된 후 3-6개월 후 가능합니다. 그러나 전자기구, 온열기구 등은 사용하지 않는 편이 좋습니다.

13. 수술 후 언제 머리 감나요?

상처 정도에 따라 달라지지만 보통 수술 후 일주일 이상 지난 뒤가 좋습니다. 수술 후 3-5일 지나도 가능은 하나 주의를 요합니다.

14. 수술 후 염색 가능한가요?

수술 후 상처치료가 완전히 끝나는 한 달 정도 후부터 가능합니다. 머리를 지나치게 긁는 행위나, 피부질환이 있는경우는 수술전부터 주의가 요구됩니다.

15. 해외여행은 언제 가능한가요?

수술 후 증세가 안정되면 가능합니다. 허나 공항 검색대 등에서 자극 발생기 때문에 환자증명서 등을 요구할 수 있습니다. 수술 후 환자에게 주는 신분카드 혹은 진단서를 지니고 다니십시오.

16. 자극발생기의 사용 시 주의점은?

두부 MRI 나 전자기장을 방해하는 기구의 사용 시 주의해야 합니다. 수술후 신분카드에 주의점이 있으니 의료진에게 검사 전 알리는 것이 중요합니다.

17. 자극발생기가 제대로 작동하는지 알 수 있나요?

휴대용 소형라디오 주파수를 AM 540 KHz으로 맞추면, 자극발생기가 작동되는 상태에서는 일반적인 잡음과 달리 끵음이 나고 이를 통해서 확인할 수 있습니다. 물론 개인용조절기 또는 병원에서 조절기를 통해 확인하는 것을 권고드립니다.

18. 수술기구가 불편한데 뺄수 있나요?

불편하면 제거가 가능하나 다시 넣기 힘들기 때문에 자극발생기를 끄고 관찰해보는 것을 권합니다. 빼서 다시 쓸수 없기 때문에 주의를 요합니다.

19. 다른 임상시험을 할 수 있나요?

원칙적으로 다른 수술 혹은 임상시험이 불가능한 것은 아닙니다. 허나 수술적 처치가 필요한 임상시험시는 매우 주의를 요하고 수술한 전문의와 충분히 상의하여 뇌심부자극술 장치 제거여부까지 상의후 진행하여야합니다. 물론 제거가 필요없는경우 임상시험 기준에만 맞다면 가능합니다.

20. 다른 뇌수술을 받을 수 있나요?

가능합니다. 허나 수술 시 전극선이 이동으로 인한 좌표가 달라질 우려가 있고 수술 전 검사에 주의를 요하므로 전문의료진과 상의하는 것이 좋습니다.

21. 개인용 조절기 사용 가능한가요?

물론 리모콘을 수술후 받아서 이용할수 있고 수술후 구입하여 사용이 가능하나, 전문가의 교육이 필요합니다. 전기자극 조절장치는 추가로 구입이 가능합니다.

22. 수술 후 예후는 어떤가요?

수술 후 80-90% 의 환자분들이 이상운동의 개선 및 삶의 질 향상을 가져와서 떨림이나 꼬임, 서동증 등이 없어지거나 개선되어 일상생활에서 훨씬 더 편안함을 느끼고 있습니다. 수술 자체는 두려움의 대상이 안되며, 수술로 인해 운동증상의 호전과 더불어 약 30%-50% 또는 그 이상의 약물 감소효과를 기대할 수 있습니다.

23. 연세가 많으신 노인의 경우 수술로 인한 체력적 부담감이 클 것 같은데요, 수술을 결정하는데 환자의 상태나 나이도 영향을 끼치나요?

75세 이상의 경우 잘 권하지는 않으나, 전신상태 및 뇌상태가 건강하다면 나이는 큰 장애물이 아닙니다. 다만 치매가 심하거나 뇌출혈, 뇌종양 등으로 뇌수술 과거력이 있거나 혈액, 응고장애 등 전신상태가 좋지 않은 경우에는 수술적 치료에 신중을 기해야 합니다. 노령화 사회로 신체가 건강한 노령 환자에게서는 나이가 수술의 큰 장애물은 아닙니다.

24. 수술 후 수영이나 운동이 가능한가요?

네, 수술 후 3-6개월 후 가능합니다. 허나 복싱, 유도, 격투기 등 두부외상 우려가 있는 운동은 삼가하는 것이 좋습니다. 제 환자분중에도 수술후 운동기능개선으로 자전거 오토바이등 즐기다 교통사고등으로 이어진 사례도 있어 파킨슨 환자분들은 각별히 낙상 및 사고에 조심해야 합니다.

25. 수술 후 약은 어디서 타나요?

수술받은 뇌심부자극술을 조절할 수 있는 신경외과 혹은 신경과 선생님과 정기적으로 상담 후 약과 자극변경을 처방받으면 됩니다. 수술하였다고 해서 약물을 바로끊을 수 있는 것은 아니니, 주의해야 하고, 약물을 좀더 잘 조절 해야합니다. 보통은 30-50% 정도 약물을 감량 할 수 있습니다.

26. 수술 시 보험적용이 되나요?

뇌심부자극술은 2005년부터 보험적용이 됩니다. 허나, 자극기 2개만 보험적용을 받고, 자극발생기또한 충전식이나, 하나로 두개의 전극선을 자극하는 것은 우리나라에서 보험적용을 못받고 있는 실정이어서 의료진 및 환우분들이 협조하여 더 나은 의료기술을 영위할수 있도록 관련기관과 함께 노력해야 합니다.

27. 다른 사보험 적용도 수술에 도움이 되나요?

다른 사보험도 입원료 및 외래 적용 시 도움이 될 수 있습니다.[g15]
보험에 따라 다르기 때문에 , 보험약관드을 보험관계자에게 상의하여야 합니다.

28. 수술 후 목소리 변화가 있습니다. 수술후 음식삼킴이 이상해요.

일부 환자들이 목소리 변화 등을 호소하기도 합니다. 자극조절이나 시간 경과에 따라 호전될 수 있으므로 경과 관찰이 필요합니다. 수술후 삼킴장애는 시간이 경과하면 회복되는 경우가 많으나, 수술에 의한 운동신경 자극으로 인한 삼킴 조절 장애로 식이섭취등에 주의를 기울여야합니다. 또한 파킨슨병 환자 자체가 삼킴기능이 약해져 있는상태가 많익 때문에 수술 후 각별한 주의가 요망됩니다. 흡입성 폐렴이나, 기도등으로 음식이 넘어가지 않도록 주의해야 합니다.

29. 수술 후 헛것이 보이고 난폭해졌어요.

이는 대부분 수술 후의 일시적인 증상이며, 수술 후 수술효과가 일시적으로 좋아, 도파민 항진작용이 강해서 생기는 것으로 약을 조절하면 다시 정상적으로 회복될 수 있으니 안심해도 됩니다.

30. 수술 후 너무 기운이 없습니다. 움직임이 더 힘들어요.

단기적으로 수술 전 도파민 관련 약을 끊기도 하고 수술 후 줄이기도 합니다. 수술후 약물 및 자극기 조절을 한다면 운동기능 개선효과를 기대해 볼수 있습니다. 적정용량으로 조절되면 수술 전보다 운동능력이 개선되니 약물조절, 자극조절로 대부분 해결된다고 보시면 됩니다.

31. 수술 후 우울증은 변화 없나요?

시상하핵 뇌심부자극술의 경우 일부 우울감에 영향이 있을 수 있다는 보고는 있습니다. 물론 파킨슨병의 진행에 따라 우울증이 생기기도 하나 경미한 경우 운동 지지요법을 시행하시고, 우울증이 깊다면 항우울제 등이 도움이 될 수 있습니다. 수술 후 운동기능 개선으로 더 좋아지는 경우도 많습니다.

32. 수술 후 잠이 안와요?

이 또한 수술 후 도파민 항진 기능이 왕성해지기 때문일 수 있습니다. 수술 직후라면 약물이 조절되기까지 일정한 시간을 두고 보시는 편이 좋습니다. 물론 필요하면 수면제 등을 처방 받으면 더 호전될 수 있습니다.

수술후 운동기능이 호전되면 오히려 숙면에 도움이 되기도 하니, 지나친 걱정을 할 것은 없습니다.

33. 현재 세포치료가 가능합니까?

현재까지 임상단계에서 허가된 치료는 없으며 모두 연구 중인 치료로, 환자분에게 뇌심부자극술보다 효과적이라고 권할만한 세포치료는 없습니다. 또한 , 줄기세포치료가 기존의 약물치료보다 좋다는 보고도 없습니다. 줄기세포 치료는 지속적 실패를 거듭해오고 있어, 연구목적외에는 상업적으로 접근하는 것을 경계해야합니다. 따라서 국내외 불법적인 경로로 접근하는 세포치료 등은 상업적인 목적이 있을 수 있으니 주의를 요합니다.

34. 현재 유전자치료가 가능합니까?

이 또한 임상단계에서 허가된 치료는 없습니다. 허나 세포치료보다 한 단계 근접한 2상 연구에서 좋은 효과가 있었고 외국에서 3상 단계에 접어들어 결과를 기다리고 있습니다. 또한 많은 회사 및 대학에서도 연구 중이니 결과를 기다려보는 것이 좋겠습니다. 지속적으로 실패를 거듭하고 있는 줄기세포 치료보다 유전자치료가 오히려 앞으로 기대해 볼만하다는 것이 필자의 견해입니다.

35. 한약은 도움이 되나요?

한약이 파킨슨병을 치료한다거나 파킨슨병을 예방하는 보고는 없기 때문에 권하지 않습니다. 또한 기존에 복용하는 파킨슨병 약제와 대사작용이 같을 경우 약물반응을 증대 혹은 감소시킬 수 있으며 독성을 증가시킬 수도 있습니다. 많은 한약들이 대사과정 등 약물대사가 증명되지 않아 주의를 요합니다. 태극권등 운동은 육체활동에 도움이 될 수있습니다.

36. 약은 언제 먹는 것이 좋나요?

파킨슨약의 대표적인 엘도파는 식사 전 15분에서30분 사이에 복용하여야 일정하게 흡수가 가능하나 일부 오심 및 구토증상이 있는 분은 식사와 함께 복용하거나 오심, 구토 완화약물과 같이 먹으면 약물 부작용을 줄일 수 있습니다. 또한 지나친 육류 섭취는 소장에서 약물흡수를 낮추기 때문에 조심해야 하며, 지나친 고지방이나 식이섬유 섭취는 위의 배출시간을 증가시키고 약물흡수를 늦춰지게 합니다. 흑염소, 개소주, 영양탕등 일부 건강 보조 약품 등은 같이 먹는 것을 주의해야 합니다.

37. 좋은 음식은 없나요?

영양이 균형잡힌 식사가 가장 중요합니다. 비타민C, 토코페롤 등은 파킨슨병에 도움이 되는 음식으로 알려져 있고, 뇌신경 보호성분인 황산화제가 많이 포함된 녹황색 채소, 등푸른 생선, 견과류, 녹차, 한두잔의 포도주 등은 신경세포 보호효과를 기대해 볼수 있다.

38. 술을 마셔도 되나요?

한두잔의 술이 문제가 되지 않으나 과음은 파킨슨병에 해롭고 또한 파킨슨 환자는 균형감각이 떨어져 큰 외상으로 이어질 수 있습니다. 특히 뇌심부자극수술 환자는 기계고장 등으로 이어질 수 있어 삼가하는 것이 좋습니다. 또한 운동기능이 여의치 않는가운데 음주는 사고로 이어지는 경우가 있으니 더욱 주의를 기울여야한다.

39. 담배는 끊어야 되나요?

담배는 일부 파킨슨병 증상을 호전시킨다는 보고가 있으나 결국 일시적인 증상으로, 뇌신경세포 퇴화 및 폐암 등 다른 전신적 해가 더 많으므로 삼가하는 것이 좋습니다.

40. 누구한테 진료 받는 것이 좋은가요?

파킨슨병을 전문적으로 진료하는 전문의 선생님께 진료 받으시는 것이 좋습니다. 파킨슨병을 전문적으로 보는 신경과, 신경외과 전문의에게 많은 도움을 받을 수 있으며, 재활의학과, 정신과, 소화기내과 심장내과등 동반될 질환에 따라서 전문의 도움이 필요하다.

41. 파킨슨병을 진단하는데 가장 중요한 방법은 무엇인가요?

파킨슨병의 진단에는 전문의의 병력 청취와 이학적 신경학적 검사가 중요합니다. 파킨슨병은 척추질환, 중풍 등으로 오인되는 경우가 있습니다. 흔히 진전, 서동증, 강직, 자세 불안정이나 보행장애 등의 신경학적 진단이 가장 중요하며, 도파 등 파킨슨 약물반응 또한 유사 파킨슨병과의 감별에 중요합니다. 또한 MRI, PET 등 영상학적 검사도 이차성 파킨슨 및 다른 뇌신경질환과의 감별에 도움이 되겠습니다.

42. 파킨슨병의 증상 중 우울증이 심합니다.

파킨슨병 환자 중 약 25-70%, 평균 40% 정도가 우울감을 호소합니다. 또 그 이상의 파킨슨병 환자에게서 우울증이 발생됩니다. 이는 도파민 등의 약물로 호전되지 않을 수 있어 항우울증 등의 약물치료가 필요합니다. 가족 및 주변사람들의 지지가 도움이 되며 필요 시 정신과적 치료를 병행하기도 합니다. 또한 행동장애 및 위축등으로 우울감이 심해질수 있어 적절한 운동은 우울감을 떨치는데도 큰도움이된다.

43. 파킨슨병을 일찍 진단하는 방법은 없나요?

파킨슨병의 진단에는 전문의의 병력 청취와 이학적 신경학적 검사가 중요합니다. 또한 MRI, PET 등 영상학적 검사를 통해 이차성 파킨슨 및 다른 뇌신경질환과의 감별에 도움을 받을 수 있습니다. 양전자촬영(PET) 검사 중 도파민 신경세포의 이상 여부를 확인할 수 있는 검사를 시행하여 도움을 얻을 수도 있습니다.

양전자촬영(PET) 검사 중에서 도파민 신경세포의 이상 여부를 확인할 수 있는 검사를 시행하여 도움을 얻을 수 있습니다. 파킨슨병이나 파킨슨 복합체증후군의 경우 도파민 신경세포가 손상된 것이 관찰되는 데, 단순 떨림이나 약물에 의해 일시적으로 파킨슨증상을 보인 경우는 정상 소견이 관찰되기 때문에 진단에 많은 도움을 얻을 수 있고 파킨슨병의 감별에도 도움이 됩니다. 파킨슨 질환의 조기 진단 및 감별진단에 획기적 도움이 되며 학문적 성과는 파킨슨 양성자 방출 단층 촬영(FP-CIT PET, Dopamine transporter image)을 통해 2013년 국제신경조절 학회등을 통해서도 발표한바있다.

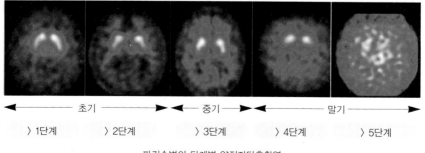

초기		중기	말기	
〉1단계	〉2단계	〉3단계	〉4단계	〉5단계

파킨슨병의 단계별 양전자단층촬영

44. 파킨슨병은 유전되나요?

젊은 연령 40세미만 파킨슨병의 경우 일부 유전적 문제가 있을 수 있으나, 꼭 유전적 요인이 있는 것은 아닙니다. 한 가족 내에서는 파킨슨병이 발생할 가능성이 상대적으로 높아집니다. 그렇지만 유전적인 요인으로 파킨슨병이 발생하는 경우는 드물며, 특히 가장 흔한 형태인 노년기에 발생한 파킨슨병의 경우에는 유전될 가능성이 매우 낮습니다.

45. 파킨슨병의 다른 환경적 위험요인은 무엇인가요?

독소 망간, 일산화탄소, 살충제, 농약, 파라퀴트 등이 외부적 파킨슨의 위험요소이며, 내부적으로는 특정 유전자나 유전자의 이상 등이 파킨슨병을 가져올 수 있습니다. 이외에도 메타놀, 시아나이드 등의 감염성 질환, 외상 및 약 등도 파킨슨 증후군 등의 증상을 유발할 수 있습니다.

46. 파킨슨 유사증후군은 무엇인가요?

파킨슨병 뿐만 아니라 파킨슨 유사 증후군도 비슷한 증세를 나타냅니다. 파킨슨 유사증후군에는 다계통 위축, 진행성 핵상마비, 피질기저핵변성 등의 생소한 병명을 가진 여러가지 병들이 있습니다. 안타깝게도 파킨슨병과는 달리 파킨슨 유사증후군은 병의 경과도 빠르고 예후가 비교적 좋지않으며 약물의 치료 효과도 떨어집니다. 파킨슨병과 같은 증상으로 오시는 분의 70-80%는 파킨슨병이지만 30% 정도는 파킨슨 유사 질환입니다. 따라서 감별이 중요한데, 파킨슨 유사 증후군 환자는 병의 진행 경과가 빠르고, 도파민 치료에 반응이 없거나, 일시적으로 낮은 반응을 보입니다. 하지만 명확히 감별이 되지 않을 때도 있어 2-3년간의 진행경과를 보고 감별할 수 있습니다.

파킨슨 유사증후군

파킨슨 병	공통점	파킨슨유사증후군
• 약물반응이 좋다 • 진행이 비교적 느리다	서동 경직 떨림 표정변화	• 파킨슨 약물반응 떨어진다 • 자율신경계이상 • 자주 넘어진다

47. 도파민제제의 후기합병증이란?

레보도파를 사용하면 짧게는 1년 반부터 생기기 시작하여 5년이 경과하면 50% 환자에게 오게 됩니다. 이 중 운동성 동요는 도파민 농도가 높아지거나 낮아질 때 파킨슨 증상의 호전 및 악화 정도가 반복되는 증상을 말하고, 이상운동증은 주로 레보도파 약물 농도가 높거나 낮을 때 손, 발, 머리 등의 신체부위가 꼬이는 증상을 말합니다.

48. 도파민제제에 합병증이 발생하면 다음 치료방법은 어떻게 되나요?

약물 복용시간을 조절하거나, 이상운동과 관련된 보조약물을 투여하거나, 약물부작용이 심한 경우 뇌심부자극술 등 수술적 치료 방법을 사용할 수 있습니다.

49. 파킨슨병 환자는 요통 등이 심한가요?

파킨슨병 환자는 자세가 구부정하고 관절이 경직되어 요통 등이 일반적으로 더 많습니다. 초기 파킨슨병 환자의 경우 척추 질환으로 오인되는 경우도 많습니다. 파킨슨병은 떨림이나 뻣뻣함이 주된 증상이기 때문에 어깨 관절에 오십견이나 인대 손상 등 근골격계질환이 많이 생깁니다. 따라서 관절에 무리가 가지 않으면서 관절의 운동을 최대한 보존하는 운동을 꾸준히 하기를 권고합니다. 척추굽힘증(camptocormia)등과 같은 심한 허리굽힘증도 나타나기도 하는데 이는 요추이상이라기 보다는 파킨슨병에 의한 기저핵 신호이상으로 인한 이상운동증(dystonia)라 보는 것이 맞고 이또한 허리수술로 좋아지는 것이 아니라 약물이나 뇌심부자극술로 효과를 볼수 있다.

수술전

뇌심부자극술 수술후 척추굽힘증 호전

50. 파킨슨병과 파킨슨 증후군은 다른가요?

파킨슨병과 파킨슨 증후군은 초기에는 비슷한 증세를 나타내나 약물 반응 및 병의 진행속도가 다른 병입니다. 2차성 파킨슨병과 파킨슨 유사 증후군 등을 구별하기 위해서라도 파킨슨병이 의심될 때는 파킨슨병 전문가의 조기 진단과 치료를 받는 것이 좋습니다.

51. 파킨슨병 환자는 수전증과 어떻게 다른가요.?

파킨슨병의 가장 흔한 증세가 손떨림인데 이는 수전증과 종종 혼동될만큼 매우 유사하여 감별을 요합니다. 수전증은 비교적 흔한 질환으로 주로 움직일 때 떨리며 병의 진행이 느리나, 파킨슨병은 가만히 있을 때 떨리면서 서동, 자세불안 등을 동반하고 병세가 진행하게 됩니다. 또한 수전증 환자 중 일부는 파킨슨병 환자와 감별이 힘들뿐 아니라 파킨슨병으로 진행된다는 보고도 있어 초기 감별 및 지속적인 관찰이 필요합니다.

CHAPTER

01

파킨슨병에 좋은 음식

━•파킨슨 병에 좋은 음식

파킨슨병에는 특별히 좋다거나 나쁜 음식은 없으나, 환자가 주의하거나 섭취하면 좋을 음식은 있다. 무엇보다 균형잡힌 음식이 좋다. 허나 일부 음식들은 파킨슨 약물 복용시 주의를 요하기도 하고, 파킨슨병에 따른 증상에 따라 선택적으로 섭취하는 것을 권한다. 파킨슨병을 치료하기 위해 잘못된 건강보조식품이나 한약제, 지나친 보양음식 등을 섭취하는 것은 오히려 병세를 악화시킬 수 있으므로 올바르게 균형 잡힌 식사가 중요하다.

현재까지 알려진바 파킨슨병 환자의 건강에 도움이 되는 성분은 비타민C, 비

타민E(토코페롤), 그리고 파킨슨병의 진행을 늦추고 세포 퇴화를 예방 할수 있는 항산화효소가 있다. 항산화 효과가 있는 비타민 B도 도움이 될 수 있다. 비타민 E는 견과류에 많고, 비타민 C는 오렌지, 채소, 야채과일등을 섭취하면 도움이 된다. 그 외 항산화 효과가 있는 블루베리, 레드와인, 녹차, 시금치 등이 권장되고 있다. 등푸른 생선류의 단백질과 녹황색 채소, 견과류 등도 항산화효소가 풍부하다.

지나친 육류 섭취 단백질 위주의 식단이나 고지방질 식단은 약물흡수를 방해하여 약물 흡수를 방해함으로써 병세의 악화를 가져올수 있다.또한 운동증상 외에도 흔히 변비, 소화불량, 수면장애, 무기력, 우울증 등을 호소하는 환자들이 많다. 변비 예방을 위해서는 야채나 과일, 수분 섭취가 도움이 된다. 변비난 소화불량도 많은 파킨슨병 환자들이 호소하는 증세로 장운동에 좋은 채소, 요구르트등 도움이 되겠다.

수면장애로 숙면을 취하지 못하는 것은 파킨슨병 환자들이 흔히 호소하는 불편감으로 먼저 수면 위생을 철저히 하고 잠자기 전에 카페인 등 각성 음료를 섭취하는 것을 피하고 지나친 낮잠도 피하도록 한다. 자기 전에 간단한 운동과 따뜻한 반신욕이나 목욕을 하고 우유 등을 섭취하면 수면에 도움이 된다.

CHAPTER

02

파킨슨병에 좋은 운동

파킨슨병에 좋은 운동

파킨슨병 환자에서 운동이나 물리치료의 목적은 증상을 완화시키거나 병의 진행을 막는 것이 아니라 현재 파킨슨 환자가 가진 운동능력을 최대한 발휘할 수 있도록 도움을 주고 관절이 굳어 버리지 않도록 예방하는 데 있다. 이 때 너무 과격한 운동은 피하는 것이 좋고, 자신의 운동능력을 고려하여 최대한 운동능력을

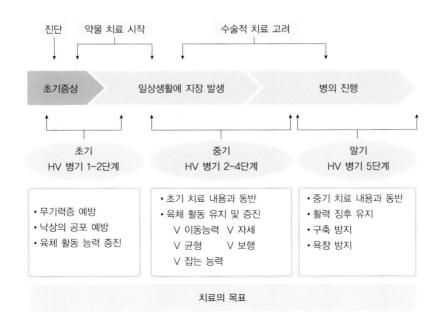

향상시키는데 초점을 맞추어야 한다.

	목표	내용	예방
초기 목표	육체활동 능력 증진	무기력 예방	낙상 예방
중기 목표	육체 활동 유지	이동능력 보행	독립생활 최대한유지
말기 목표	관절구축 방지	활력 유지	관절구축방지 욕창방지

손가락 관절을 풀어주는 운동

1 의자에 앉아서도, 서서도 할 수 있다. 손가락을 힘껏 편다.

2 손가락을 꽉 쥐고 '편다-쥔다'를 1세트로 하여 10세트 실시한다.

자세를 안정시키는 운동

1 양발을 버티고 서서, 등을 펴고 배에 힘을 주어 당긴다.

2 1의 상태에서 발뒷꿈치를 올렸다 내렸다 한다.

3 오른발 왼발 제자리 걸음을 한다.

등근육을 펴는 운동

1 의자에 등을 펴고 앉는다.

2 양손을 머리에 한채 허리를 천천히 회전시킨다. 좌우로 반복한다.

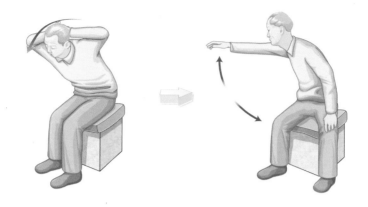

3 앞으로 숙였다 폈다 하는 동작을 반복한
다.

4 크게 회전시킨다는 생각으로 좌우를 반복하
되 너무 빠르지 않게 주의한다.

복근을 단련시키는 운동

1 누운상태에서 무릎을 세운다.

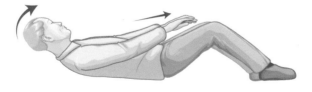

2 상체를 서서히 일으킨다. 양손을 무릎쪽으로 내밀거나, 힘들면 허벅지를 잡고 해도 된다.

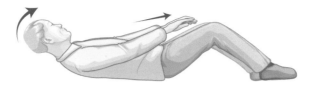

3 하체를 고정한채 상체를 서서히 일으켜 등배 운동을 한다.

엉덩이 근육을 단련시키는 운동

1 뒤로 눕는다.

2 좌, 우 발을 뒤로 천천히 교대로 들어 근육 및 관절운동을 한다. 다리 전체를 들어 올리도록 해본다.

허리 스트레칭 운동

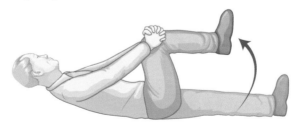

1 오른쪽 무릎을 양손으로 껴안는다.

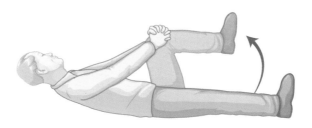

2 천천히 오른쪽 무릎을 몸쪽으로 당기고 좌, 우 반복한다. 어깨 및 골반관절이 부드럽게 된다.

무릎움직임을 부드럽게 하는 운동

1 누운 상태에서 오른쪽 무릎을 세운다.

2 무릎 및 발바닥을 부드럽게 펴고, 교대로 반복한다. 또한 좌우로 무릎관절을 회전시켜 부드
럽게 한다.

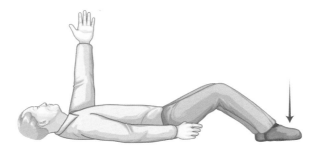

1 천장을 바라보고 누우면서 양쪽 무릎을 세우고 왼쪽발로 바닥을 누르면서 왼손을 위로 올린다.

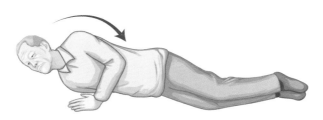

2 오른쪽으로 돌아누워 왼손으로 바닥을 짚는다.

3 왼쪽 무릎을 편다.

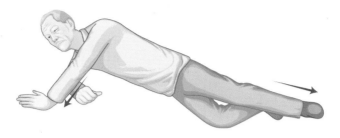

4 한쪽손으로 바닥을 누르면서 상체를 일으키면서 일어나기 편한 동작을 한다.

앉아서 하는 운동

1 심호흡

크게 숨을 들이쉬었다 내쉬면서 반복한다. 가슴 및 등까지 관절을 이완시켰다 수축시켰다 하면서 관절을 부드럽게 한다.

2 목운동하기

파킨슨 병환자분은 목근육이 경직되어 뒤로 젖히기 힘들다. 좌우로 천천히 앞뒤로 가능한 범위에서 반복한다.

3 어깨 으쓱거리기

어깨 관절을 펴는 운동으로 으쓱으쓱하게 어깨 관절을 들고 앞뒤좌우로 관절을 회전 시킨다.

4 의자에 앉아서 하는 팔다리 운동

팔과 다리운동을 같이 하는것으로 리듬에 맞춰 한쪽다리를 뻗고 교대로 시행한다. 또한 팔도 교대로 뻗어 관절을 이완시킨다.

서서 하는 운동

1 양팔운동하기

이 운동 또한 음악의 리듬에 맞추어 실시하면 효과가 큽니다. 음악의 리듬에 맞춰 팔을 교대로 앞뒤로 흔듭니다. 손에 가벼운 아령들을 들고 시작하면 더 좋습니다.

2 발꿈치 들어올리기

종아리 근육을 강화시키기 위해 시행하는 운동으로 몸을 지탱할 수 있도록 의자의 등받이를 잡고 발꿈치를 들어올려 관절을 신장시켜 부드럽게 하고 좌, 우를 반복하여 시행한다.

3 벽을 이용한 운동

벽이나 문등에 등을 붙이고 어깨관절 및 등관절 등을 신장시키고 부드럽게 하는 동작이다.

누워서 하는 운동

1 누워서 하는 운동

쭉 편 자세에서 딱딱한 바닥(딱딱한 침대나 마루바닥) 위에 누워 하는 것이 가장 효과적이다. 등을 바닥에 대고 크게 한번 기지개를 편다. 그 다음 가능한 길게 뻗는다. 다리를 곧게 붙이고 동시에 아래에서부터 쭉 뻗는다. 이때 팔도 같이 뻗어 옆에서부터 반원을 그리며 머리까지 가져간다. 그래서 완전히 바닥 위에 눕는다.

  허리근육과 복근의 근력을 강화하는 몸통굽힘 체조나 스트레칭이 근력 강화나 지구력 증가를 위해서 필요하다. 평형감각을 유지하는 데는 걸을 때 씩씩하게 팔을 흔들면서 걷고 규칙적인 운동, 특히 온몸을 풀어 줄 수 있는 체조를 하는 것이 도움이 된다. 아르헨티나에서는 탱고, 유럽에서는 왈츠 등의 춤이 효과적이며, 동양권에서는 태극권, 요가 등이 도움이 된다. 환자 스스로 특별히 잘 안되는 행동이 있는 경우 준비동작을 하는 것이 도움이 되는데, 예를 들어 의자에서 일어나기 힘든 환자의 경우는 몸을 앞뒤로 흔들다가 일어서는 것이 효과적이다.

  이외에도 말하기 훈련이 필요하다. 파킨슨병 환자는 목소리가 작아져서 의사소통이 힘들어질 수 있다. 이 경우 일정한 속도로 또박또박 큰소리로 말하는 훈련을 규칙적으로 하는 것이 도움이 된다. 삼킴장애가 발생하는 경우도 있는데 이 경우에는 입을 움직이거나 씹는 동작, 삼키는 동작을 반복하는 훈련이 도움이 되며, 음식물을 먹을 때 한번만 삼키지 말고 꼭 두번씩 삼키는 습관을 들이는 것이 좋다.

  이와 같이 파킨슨병이 진행됨에 따라 관절이 굳지 않게 하고 유연성 및 민첩성을 유지할 수 있도록 꾸준히 운동하는 것이 무엇보다 중요하다.

Epilogue

A little pulse changes your life!

과거와는 달리 파킨슨병에 대한 다양한 치료제 및 치료법이 개발되었기 때문에 환자가 진단 및 치료를 잘 받는다면 충분히 건강한 삶을 유지할 수 있습니다.

파킨슨병이 치료가 어려운 병이기는 하나 병을 이해하고, 병원을 가깝게 생각하시고, 병을 꾸준히 관리한다는 마음으로 대한다면 어려운 난치병이나 불치병이 아니라 잘 관리할 수 있는 퇴행성 질환이 될 수 있을 것입니다.

이 책이 파킨슨병 환우분들의 질병 대처에 도움이 되고, 일반인 전문가들에게 조금이나마 유익한 정보를 줄 수 있기를 바랍니다.

A little pulse changes your life!

또한 작은 신호가 삶을 변화시키듯, 끊임없는 학문적노력과 학문적진보로써 보다 건강한 삶을 파킨슨병 환자들에게 전달하고 싶습니다.

이 책이 나오도록 기다려준 부모님, 처, 두 딸에게 감사하고, 최규선 연구자 및 보다 나은 파킨슨 치료를 위해 힘쓰는 충북대 병원 파킨슨팀 교수님 및 간호사 직원분들께 감사드립니다.

2014년 충북대 개신동 캠퍼스 연구실 불을 밝히며
박영석 올림

A little pulse changes your life!

2005년부터 2013년까지 뇌심부자
극술 의료서비스 담당자로서 일하면
서, 많은 파킨슨환우분들이 자신의
불편함에 얼마나 힘들어 하고 있는지
를 현장에서 보아왔습니다. 그 불편
함 중에 하나가 바로 그분들에게 다가갈 수 있는 정확한 정보가 제한되었다는 것입
니다. 이런 제한되고 정확하지 않은 정보들로 환우분들은 자신의 병에 대해서 더욱
두려워하고 때로는 오해하는 부분도 많으셨습니다. 이에 올바른 정보를 전달하는
것이 환우분들에게는 그 분들의 병을 관리하는데 얼마나 중요한지 잘 알고 있습니
다.

충북대학교 신경외과 박영석 교수님의 파킨슨 환우분들에게 뇌심부자극술에 관
련된 정보를 나누는 의미 있는 일에 아주 작은 도움을 드릴 수 있었던 것에 그간 현
장에서 환우분들을 만나온 사람으로서 큰 영광입니다. 환우분들이 느끼시는 많은
현실적 그리고 심리적 고통을 백분 이해할 수는 없지만, 뇌심부자극술에 대한 올바
른 정보를 나누는 것으로 환우분들이 자신의 병을 보다 잘 이해하고 해결하는데 작
은 도움이 되었으면 하는 바람입니다.

이 작은 노력들이 환우분들의 삶에 긍정적 변화에 도움이 되었으면 하는 마음으
로 보다 더 건강한 파킨슨 환우분들의 삶을 응원합니다.

최규선

감수의 글

　파킨슨병은 뇌의 흑질부에서 만들어지는 도파민이 부족해서 생기는 뇌질환으로 떨림과 근육의 뻣뻣함, 동작이 느려지는 증상을 보인다. 좀 더 병이 진행되면 걸음걸이에도 많은 지장을 보이고 균형을 잡는 능력이 떨어져 잘 넘어지기도 한다. 이러한 운동증상 외에도 다양한 비운동증상들이 환자들을 괴롭힌다. 파킨슨병에서는 모자라는 도파민을 공급해주는 약물치료가 우선이지만 점차

동아대 신경과 교수 김재우

약물치료에 대한 합병증이 나타나기 시작한다. 즉, 약 효과가 있는 시간이 점차 짧아지고 대신 약 효과가 떨어져서 본래의 파킨슨병 증상들이 다시 나타나는 시간이 길어진다(운동동요 현상). 또한 약의 효과가 퍼지면 원하지 않는 몸의 흔들림이 나타나(이상운동증상) 환자를 불편하게 한다. 환자는 약의 효과가 떨어질 때 나타나는 불편한 증상들을 극복하기 위하여 약의 복용량과 회수를 늘려간다. 심지어는 하루에 10번 가까이 복용하는 환자들도 있다. 이쯤 되면 약물복용만으로는 정상적인 생활을 유지하기가 힘들어진다. 이 때가 뇌심부자극술이 필요한 시점이다. 뇌심부자극술은 우선 운동동요 현상이 있는 환자에서 약의 효과가 떨어졌을 때 나타나는 운동증상의 불편한 정도를 많이 완화시켜준다. 그 결과 수술 전에 경험하였던, 약의 효과가 있을 때와 없을 때의 현저한 차이가 많이 줄어들어 운동동요현상이 많이 사라짐을 경험할 수 있다. 다음으로 약의 효과가 있을 때 나타나는 이상운동증상을 현저하게 줄여주어 그로 인한 불편을 많이 개선시켜 줄 수 있다. 마지막으로 수술 전에 복용하던 약의 용량을 절반가까이 줄일 수 있다. 위장 장애로 약을 복용하기가 힘든 환자들에게는 그 자체로도 많은 도움이 된다. 뇌심부자극술은 이러한 운동증상의 개선뿐만 아니라 다양한 비운동증상들도 개선시켜 주기도 한다. 여러 가지

검사를 시행하고도 그 원인을 잘 알지 못하고 약물로도 잘 조절되지 않는 호흡곤란이나 정체불명의 통증 같은 비운동증상들도 많은 호전을 보일 수 있다. 그러나 뇌심부자극술이 파킨슨병의 모든 증상을 다 개선시켜주는 것은 아니다라는 것을 알고 기대수준을 적절하게 조절하는 것이 중요하다. 왜냐하면 수술 전의 너무 많은 기대는 실망감으로 바뀌어 투병생활을 더욱 어렵게 만들 수 있기 때문이다.

결론적으로 뇌심부자극술은 그 수술시기와 대상을 적절하게 선정하게 되면 증상의 개선효과와 더불어 삶의 질을 크게 높일 수 있는 아주 좋은 치료책의 하나가 될 수 있다. 이를 위해서는 이 분야에 많은 경험을 가진 전문가와 미리 상의하는 것이 무엇보다 중요하다 하겠다.

김재우

Profile

박 영 석 교수

충북대 신경외과 교수
의학박사, 신경외과 전문의

전) 연세대, 차의대, 한림대 조교수
현) 대한신경외과학회 정회원(KNS)
현) 미국신경외과 정회원 (AANS)
현) 세계신경외과 정회원 (CNS)
현) 세계이상운동학회 정회원 (MDS)
현) 대한 및 세계신경조절학회 정회원 (KNS,INS)
현) 대한 및 세계정위신경외과학회 정회원 (KSSFN, WSSFN)
현) 대한 및 세계파킨슨병및이상운동질환학회 정회원 (KMDS, MDS)
현) 세계신경과학학회 정회원 (SFN)
현) 대한뇌종양학회 정회원
현) 대한신경손상학회 종신회원
현) 세계소아신경외과학회 및 대한소아신경외과학회 종신회원 (ISPN, KSPN)
현) 대한노인신경외과학회 종신회원 (KGNS)
현) 대한방사선수술학회, 감마나이프학회 정회원
현) 대한뇌전증학회 정회원

*건강정보

2011 파킨슨병 건강강좌

2011 경인일보 파킨슨병 떨림 수술치료

2012 SBS 백세건강스페셜(258회) 파킨슨병 , 떨림 수술치료

2012 하이닥(네이버) 뇌심부자극술 수술 치료

2012 파킨슨병 건강강좌

2013 파킨슨병 건강강좌

2014 CJB 건강클리닉 파킨슨병 수술적 치료

블로그 : http://blog.naver.com/ysparkns

2009, 2014년 대한소아신경외과학회 학술상

2012 대한신경외과학회 학술상

2012 차의과대학대학 교수협회 학술상